EL TEMPLO
EN LA CREACIÓN

EL PERFIL DE LA FAMILIA
DINAH DYE

A menudo la gente me pregunta por qué nunca enseño el significado espiritual profundo de las Escrituras, y mi respuesta es siempre la misma: "¿Por qué rayos he de hacer eso cuando puedo enviar a las personas que buscan este tipo de cosas a Dinah Dye?" En su libro *El Templo Revelado en La Creación: El Perfil de la Familia*, Dinah hace lo que mejor sabe — ella re — dirige nuestra mentalidad moderna hacia al mundo por el cual las Escrituras fueron escritas. En realidad no importa lo que el libro de Apocalipsis significa para nosotros, lo que pensamos que el Mesías y los Profetas dijeron, o nuestros sentimientos personales sobre el Templo y sus servicios, la pregunta fundamental que debemos hacernos es: "¿Qué significa esto para las personas cuyas vidas estaban centralizadas en el Templo de Jerusalén, su Dios, y su profundo anhelo por el Mesías?" Es mi verdadera esperanza que usted le permita a Dinah despertar en usted un amor por el tema más complejo, vital y difundido en toda la Escritura — el Templo Santo y su servicio.

TYLER ROSENQUIST, AUTORA
ANCIENT BRIDGE PUBLISHING

Este nuevo libro de la Dra. Dinah Dye marca un nuevo hito en libros sobre el Templo. Desde la primera página, el lector se encuentra en medio de la historia, no sólo el aprendizaje de los principios y entendimientos que hace tiempo han sido olvidados, pero experimentando las vistas, olores y sensaciones que traen a la vida al Templo. La habilidad de la Dra. Dinah Dye en presentar el Templo, desde la primera palabra en hebreo en la Escritura, abre un mundo de nuevas revelaciones del Templo que también conecta los conceptos de la familia y el matrimonio. Pocos libros tienen el potencial de transformar y esto hace que el lector se una persona diferente, y tenga una percepción elevada del Reino de los Cielos. ¡Bien hecho, Dinah!

JOSEPH GOOD, AUTOR
HATIKVA MINISTRIES
JERUSALEM TEMPLE STUDY ONLINE

¡Brillante! La investigación de la Dra. Dinah Dye acerca del Templo es como ninguna. Me atrajo de inmediato la historia del Templo. Este libro me pareció ser superior al material que actualmente está disponible sobre este tema. Dinah ha combinado los grandes elementos narrativos de historia con una investigación profunda, ¡lo que hace de este libro sea debidamente leído!

DR. RIK B. WADGE, AUTOR
DIRECTOR EJECUTIVO DE BIBLEINTERACT

Un viaje convincente con una detective bíblica experimentada en la sombra y los tipos del Templo. Sorprendente revelación sobre el "Pacto de la Creación" y el plan de Dios para las familias a través de las imágenes de los antiguos rituales del Templo. Profundamente relevante hoy a la luz del ataque en contra de la familia. ¡Usted nunca volverá a ver el Templo de la misma manera!

JANE BAKEWELL, PERIODISTA INDEPENDIENTE
AMANTE DE ISRAEL

Durante demasiado tiempo, el Templo ha sido un misterio o simplemente ha sido ignorado por muchos en la Iglesia. En 2014, yo era una de las participantes de Nuevo México quien celebró *Sukkot* en Israel y me topé con la recreación de *Simcha Beit HaShoevah — el Regocijo en la Casa del Derramamiento del Agua*. Aunque me gocé en ser parte de este evento (que tuvo lugar hace 2000 años atrás), había un cierto pesar en mí por no entender plenamente su significado. Esto causo en mí un hambre y determinación para aprender más. La Dra. Dinah Dye ha invertido muchos años de investigación y estudio y el resultado es fenomenal. En este primer volumen, *El Templo Revelado en la Creación*, ha establecido un plan para la comprensión de la fundación del Templo y la creación. Esto ha sido, para mí, una joya multifacética con significado espiritual impresionante. Los años de investigación y estudio que Dinah tiene nos da la oportunidad de almacenar su trabajo y desbloquear un tesoro que Dios está revelando a esta generación de adoradores que anhelan Su presencia.

ANNETTE GARCIA, GERENTE GENERAL

SON BROADCASTING NETWORK

La Dra. Dinah Dye ha hecho un trabajo increíble que conecta el pensamiento del Antiguo Medio Oriente, escritos rabínicos, y otra información académica importante llevando una perspectiva más amplia sobre la importancia del Templo y sus funciones. Me gustó mucho la información y me perdí en la línea de historia. Este trabajo está lleno de información muy necesaria sobre el Templo.

RICO CORTES, ORADOR Y MAESTRO

WISDOM IN TORAH MINISTRIES

MINISTERIOS SABIDURÍA EN LA TORÁ

El Templo Revelado en la Creación: El Perfil de la Familia

Por Dinah Dye

Publicaciones Foundation in Torah

www.messianicjewish.net

Visite la página web de la autora
www.FoundationsInTorah.com

DEDICATORIA

Este libro está dedicado a mi Di-s y Su Mesías, *Yeshúa*. Sentí Su presencia en cada paso del camino — dirigiéndome y guiándome a través de todos los diferentes giros y vueltas de este libro. Él me ministró cuando luché y derramó Su Sabiduría sobre mí, a menudo en medio de la noche, cuando me había estancado. ¡A Di-s sea la gloria por siempre!

A mi esposo, Michael, quien siempre estuvo seguro de que completaría este libro, aun cuando yo no lo estaba, y cuyo amor y apoyo hizo esto posible. Gracias desde el fondo de mi corazón por nunca cortar mis alas y por darme la libertad de volar.

A mis hijas, Hannah y Sarah, quienes nunca dudaron ni una vez. Ustedes me han dado el mayor tesoro de todos — la pura alegría de mis tres nietos: Ya'el, Gavriella y Remy.

Sólo una cosa he pedido a Adonai;
Sólo esto buscaré de todo corazón:
Que yo more en la casa de Adonai
Todos los días de mi vida,
Para contemplar la belleza de Adonai
Y visitarle en Su Templo.
Porque Él me escondió en Su Tabernáculo
En el día de mi aflicción,
Él me cobijó en el secreto de Su Tabernáculo,
Él me puso en alto sobre una roca.
Entonces mi cabeza levantó
Por encima de los enemigos a mí alrededor,
Y ofrecí en Su Tabernáculo
El sacrificio de alegría;
Yo cantaré, aun cantaré salmos a Adonai

CONTENIDO

RECONOCIMIENTOS

Me gustaría reconocer y extender un gran agradecimiento a mi editora, Sarah Hawkes Valente. Ella fue mi luz de guía y mi motivación a lo largo de todo este proyecto. Ella es un verdadero tesoro, y estoy muy agradecida por ella. No importa qué tan confuso mi proceso de pensamiento, o la forma caótica de redacción, siempre se las arreglaba para convertirlo en magia.

Gracias, Tyler Dawn Rosenquist, por tu atención al detalle, tus excelentes sugerencias, y, como dices, tus formas de "intromisión". Gracias también a David Farley por tu habilidad con el formato.

Un muy especial agradecimiento a Joe Good por todos estos años al sentar una base sólida en los estudios del Templo sobre el cual pude construir.

Por último, gracias a mis hermanas del alma, Bodie Thoene y Robin Hanley, por su amor y estimulo. No podría estar más encantada de tenerlas como mis "sujeta libros" — a Robin por el diseño magistral de la cubierta y a Bodie quien ha sido mi inspiración por muchos años. También a mi querida pequeña Shalom, una criatura con visión espiritual asombrosa, quien escuchó en repetidas ocasiones: "¡Dinah Dye tiene la clave del templo!" Fue toda la motivación que necesitaba.

INTRODUCCIÓN

El tema del Templo por lo general genera un gran debate — salpicado por un montón de preguntas y se espolvorea con más de un poco de controversia. Algunos ven el Templo como un edificio que fue destruido en el primer siglo que se construirá de nuevo para cumplir las profecías de Daniel y Apocalipsis. Otros piensan que el Templo es irrelevante porque el sacrificio de *Yeshúa* (Jesús) lo reemplazó. Algunos están a la espera que aparezca un nuevo Templo descendiendo de los cielos, mientras que otros están tomando medidas para construirlo aquí en la tierra. Algunos ven el Templo en términos abstractos y espirituales, mientras que otros sólo ven un edificio físico. Aquellos que no tienen ninguna opinión se han contentado con dejar todo el tema a los "expertos". En última instancia, la cuestión que debe plantearse es: "¿Cuál es la importancia del Templo para los creyentes en *Yeshúa* (Jesús) el Mesías?"

Somos realmente afortunados de que tantos recursos excelentes han sido traducidos al Inglés del Hebreo, Griego y Arameo. Estas fuentes se concentran en la historia del Templo, su diseño físico, sus rituales y ceremonias, y su funcionamiento. Sin embargo, no hay fuentes antiguas que realmente expliquen el significado de la simbología del Templo. Fuentes extra — bíblicas de la época del Segundo Templo incluyen los mismos símbolos que se encuentran en la Biblia, pero su significado también es un misterio. ¿Por dónde empezamos a descifrarlos? Pues bien, el aprendizaje del diseño, la estructura y la función del Templo (mediante el estudio de fuentes históricas y arqueológicas, así como la cultura antigua y su contexto) es un papel importante para comenzar. Esto ayudará a establecer una base sólida que permita un examen estudiando la rica visualización y simbolismo del mundo del Templo. Creo que el Templo es el marco y patrón para la comprensión de la Escritura.

He pasado más de los últimos treinta y cinco años conectando los Evangelios y las Epístolas a su fundación en la Torá. A través de mi estudio, el cuadro gigantesco me apareció con el tiempo. Ahora veo el Templo como el modelo estructural que recubre toda la Biblia. Ya que tengo la tendencia de enredarme en los detalles, fue agradable para mí ver finalmente el patrón más grande. Cuando se trata de mi estudio de la Escritura, a menudo me considero una aficionada detective forense; me siento muy bien al evaluar las pistas e identificar patrones bíblicos. Ahora "veo" el Templo en todas partes y en todo. Sí, todos tenemos filtros que utilizamos para estudiar — solo pienso que el filtro del Templo es la clave.

Mientras más símbolos y expresiones idiomáticas descubro, más brotan a mí alrededor. Ahora puedo decir con confianza que la Biblia está llena de representaciones pictóricas y expresiones idiomáticas del Templo: pastos verdes, el jardín, tierra seca, la viña, el asiento, el bosque, la era, nido de pájaro, el redil... El libro de Revelación es un clásico ejemplo de un libro que está lleno de lenguaje metafórico relacionado con el Templo. Está lleno de símbolos que probablemente hayan sido comprendidos por los cristianos del primer siglo, pero son básicamente ajenos a nosotros. No podemos evaluar estos símbolos con nuestra mentalidad del siglo XXI. Si lo hacemos, entonces los helicópteros se convierten en langostas, las bestias de siete cabezas se convierten en estados geopolíticos de hoy en día, y la Iglesia Católica se convierte en la ramera de Babilonia. El libro de Revelación es ante todo un contexto del templo del Antiguo Medio Oriente (*AMO*) lleno de símbolos e imágenes que deben ser evaluados desde una perspectiva del primer siglo. No podemos hacer que el texto diga lo que no dice.

En este primer volumen, *El Templo Revelado en la Creación: El Perfil de la Familia*, asentaré una base desde la perspectiva de la creación e introduciré la naturaleza espiritual del Templo a través de una variedad de temas: el pacto de la creación, el Santo de los Santos, el concepto de la unidad y separación, el Día de Expiación, y el significado y propósito de la Sabiduría. En cada capítulo, voy a presentar un relato de ficción (*Midrash*) de una narración bíblica. En el tiempo de la época del Segundo Templo, el *Midrash* era un método popular para la comunicación de conceptos importantes. También voy a incorporar una explicación académica del material y concluir con un comentario personal. Los títulos de libros para el futuro incluyen, *El Templo Revelado en el Jardín*, *El Templo Revelado en los Días de Noé*, *El Templo Revelado en las Moradas de los Patriarcas*, y así sucesivamente. Disponibles en mi sitio web, Foundations in Torah, hay vídeos de treinta minutos que acompañan a cada libro y proporcionan información adicional sobre el tema presentado.

Mis opiniones personales sobre el Templo se han formado a través de mi investigación de fuentes extra — bíblicos judías y cristianas de la época del Segundo Templo, escritos del Antiguo Medio Oriente, y años de estudio de la naturaleza hebraica del Nuevo Testamento. Las citas bíblicas originales son de la *Complete Jewish Bible*, por David Stern, a menos que se indique lo contrario. Esta traducción fue elegida por su esencia en el lenguaje hebreo y no necesariamente por su contenido académico. Algunas de las enseñanzas y conexiones espirituales introducidas en este libro se expondrán en volúmenes posteriores.

Mi propósito al escribir esta serie es ayudar a los creyentes en *Yeshúa* el Mesías a reconocer el lenguaje del Templo y recuperar el significado espiritual detrás de los símbolos bíblicos de la manera que los creyentes del primer siglo las entendían. Estudiar el templo se puede comparar al buceo de cabeza en un poderoso drama; que excita e inspira y hace que el corazón palpite paulatinamente. Se trata de un pozo profundo que no se agotará nunca, y nadie va a ser capaz de extraer todas las piedras preciosas que se pueden encontrar a través de los estudios del Templo. Mi última esperanza, querido lector, es que usted entre en el mundo sobrenatural del lugar divino de Su Presencia y sea cambiado para siempre.

PROLOGO

"En el decimoquinto día del séptimo mes tendrán una santa convocación...y observarán una festividad para Adonaí por siete días...además de la ofrenda quemada regular con sus ofrendas de grano y de libación.
(Números 29:12,16)

La oscuridad se apoderó de la ciudad de Jerusalén. La luna apareció sobre el horizonte esparciendo su resplandor plateado en los muros de piedra de los edificios del Templo. Brillaba a través del frío pavimento del Atrio de las Mujeres, donde se había reunido una gran multitud. Era la última noche de *Sukkot* (Fiesta de Tabernáculos), y la emoción era palpable.

A medida que la luz de la luna se intensificó, cuatro sacerdotes jóvenes en entrenamiento, llamados "las flores del Sacerdocio", subieron cuatro escaleras que estaban apoyadas en cuatro grandes candelabros que estaban en el Atrio de las Mujeres. Los jóvenes sacerdotes subieron los escalones de manera constante de modo que no se derramase ni una gota de aceite de oliva prensado que llevaban en jarras abiertas. El aceite de oliva era la fuente de combustible para las lámparas grandes. Una vez que los jóvenes sacerdotes llegaban a los grandes barriles que fueron montados en los soportes de cada lámpara, vertieron rápidamente el aceite para encender las lámparas exteriores e interiores. Las mechas de las lámparas exteriores se hacían de los calzones viejos de los sacerdotes;

las mechas de las lámparas interiores se hacían de los calzones viejos del sumo sacerdote. Una vez que las mechas se encendían, la noche alumbraba; cada esquina y el Atrio de Jerusalén quedaba iluminado como si fuera mediodía.

El estado de ánimo de la multitud era eléctrico. El ambiente en el Atrio de las Mujeres había sido transformado de manera sobrenatural. Los hombres llevaban antorchas encendidas, danzando reverentemente con júbilo mientras que los sacerdotes levitas tocaban instrumentos musicales con gran exuberancia y pasión. Los grandes eruditos y sabios de Israel estaban entre los que se habían reunido en el atrio. Estos hombres eran bien conocidos no sólo por su erudición, sino también por su compasión y carácter. Sin embargo, ellos participaban con alegría en la celebración aplaudiendo, zapateando, y cantando entusiásticamente. Un jadeo audible se elevaba de la multitud cuando el *Rabí Shimon Ben Gamliel* hacia malabares con ocho antorchas al mismo tiempo sin perder ni una. Los hombres danzaban como el rey David danzó ante el Arca del Pacto, saltando, girando y remolineando ante el Señor.

Mientras tanto, las mujeres y los niños que vinieron a Jerusalén para la fiesta se sentaban en balcones especialmente construidos alineados al borde del Atrio. A medida que las mujeres charlaban juntas en tonos apenas audibles, los niños estaban impacientes en sus asientos tratando de suprimir la risa al ver a sus padres bailar y cantar. Sin previo aviso, el gentío de abajo estallaba en gritos de "¡Aleluya! ¡Alabado sea el Señor de los cielos! Alabadle en las alturas. Alabéenle sol y la luna; alábenle todas las estrellas brillantes. ¡Alabad al más exaltado de los cielos y las aguas que están sobre los cielos!" El canto de la multitud era seguido por dulces sonidos melodiosos de arpas y liras, que hacían eco a lo largo y ancho de los profundos cañones que rodean Jerusalén. De vez en cuando, una ráfaga rápida de un cuerno de carnero abría la noche. Panderetas y flautas, junto con el ocasional fuerte choque de platillos, se añadían al drama.

Delante de las puertas de bronce de la Puerta de Nicanor,

y por encima de la escalera semicircular de piedra, el coro Levítico tomaba su lugar en la plataforma. No era raro para ellos cantar desde este lugar elevado; el coro cantaba desde este lugar cuando acompañaban las ofrendas regulares de la mañana y tarde. Pero esta noche era especial. Esta noche cantaron los quince Coros de Ascenso con emoción intensificada en perspectiva de *Simcha Beit HaShoevah* (Regocijo en la Casa del Derramamiento del Agua). "Levanto mis ojos a los montes; ¿de dónde vendrá mi socorro? Mi socorro viene del Señor, Creador del cielo y de la tierra", esto repercutía en todo el recinto del templo.

Después de una larga noche de celebración, los primeros rayos del sol en la mañana aparecieron en el cielo al este de las colinas de Hebrón. Aunque algunos se habían quedado dormidos, muchos de los celebrantes, exhaustos, continuaban bailando y cantando. Estaban ansiosos por la ver la ceremonia de la libación del agua. Un claro y agudo clamor del pregonero del Templo repiqueteó en todo el recinto del templo señalando a los hombres de Israel, los Sacerdotes y los Levitas que se preparasen para los servicios del día.

Mientras tanto, en la entrada de la Puerta de Nicanor, dos jóvenes sacerdotes tocaban las trompetas de plata. La anticipación ascendía. Los dos sacerdotes se movían lenta y deliberadamente por las escaleras semicirculares. Cuando llegaban al décimo escalón, se detenían y tocaban las trompetas de nuevo. Una vez que llegaban al suelo de piedra del Atrio de las Mujeres, se detenían y tocaban las trompetas antes de cruzar la acera de la puerta del este. Al último toque, la multitud hacia su recorrido al Monte del Templo. Antes de hacer su descenso al Estanque de *Shiloach* (Siloé), los devotos presionaban ligeramente hacia adelante y luego se detenían bruscamente. Se volteaban al unísono hacia el Santo Santuario. Con este acto, la multitud declaraba su adoración a Di-s en Su trono, el Santo de los Santos, que estaba hacia el oeste. Sus antepasados se habían tornado al este, hacia el sol, para adorarle.

Continuaban desde el Monte del Templo, atravesando las Compuertas Hulda hacia el pasaje subterráneo de la Doble Puerta con sus notables características Herodianas. Algunos de la multitud levantaban la vista para apreciar el techo de la bella cúpula decorativa que había sido meticulosamente tallada en piedra. Mientras tanto, el sumo sacerdote rápidamente atravesaba la Puerta del Agua, llamada así por este acto ceremonial, con el fin de unirse a la multitud a medida que descendían al Estanque de *Shiloach* (Siloé). La noche había sido muy alegre, pero ahora su alegría aumentaba a medida que los fieles eran testigos del doble ritual de la extracción de agua del estanque y la libación del agua sobre el gran altar. La ceremonia de hoy en el estanque era particularmente importante ya que era el mismo sumo sacerdote quien extraía el agua.

A medida que el sumo sacerdote descendía los amplios escalones de la plaza en las frías aguas del Estanque de *Shiloach* (Siloé), los adoradores se amontaban detrás de él. Entre las enormes columnas herodianas, la multitud se apretujaban unos a otros ansiosos por obtener una mejor vista del evento. El Estanque de *Shiloach* (Siloé) estaba situado justo a la sombra del Templo, y recibía su agua del Manantial *Guijón*: el suministro de agua para la ciudad de Jerusalén. Un canal construido a lo largo de la vertiente oriental de la Ciudad de David originalmente había sido construido para regar el jardín del Rey Salomón. Más tarde, sin embargo, el rey Ezequías construyó un canal a través de roca sólida para desviar el agua dentro de las paredes de la ciudad con el fin de proteger el suministro que estaba vulnerable a los invasores extranjeros. Ahora el estanque, que se había formado a partir del agua en el canal, fue el escenario de uno de los rituales más importantes de Israel: la libación del agua.

El jarrón de oro llevado por el sumo sacerdote brillaba en el sol de la mañana. Mientras recogía el medio litro de agua pura del estanque, la multitud asentía su aprobación colectiva con animosidad y gritos de alegría. Las multitudes se daban vuelta siguiendo al sumo sacerdote por el sendero trillado al Monte del Templo; había llegado el momento para la segunda parte del ritual que coincidía con las ofrendas diarias de la mañana. ¡Todo el tiempo se cantaba las Quince Canciones de Ascenso, "... me alegré cuando me dijeron, la casa de Adonaí iremos! ¡Vámonos! Nuestros pies ya estaban de pie en tus umbrales, Jerusalén".

A medida que la ruidosa multitud volvía a entrar en el recinto del templo, atravesando de nuevo la Puerta del Agua, los sacerdotes estando de pie en los escalones comenzaron a tocar las trompetas de plata. Los fieles respondían con entusiasmo: "¡Por tanto, con gozo sacaré aguas de las fuentes de la salvación!" Ellos seguían de cerca el sumo sacerdote cuando entraba al atrio interior y ascendía a la gran rampa de piedra del gran altar. Luego se dirigía al altar donde había dos jarros de plata que servían como receptáculos para la libación del agua, así como el vino de la ofrenda de la mañana.

Antes de verter el agua, el sumo sacerdote levantaba el jarrón de oro para que todo el público lo viera. Pareció que un sacerdote saduceo que se oponía a toda la ceremonia había vertido recientemente el agua ceremonial sobre sus pies en lugar del jarro de plata para el que estaba destinado. La multitud reaccionó con firmeza a este acto de menosprecio, y le arrojaron al sacerdote ofensor un *etrogim* (una fruta grande similar al limón). En este día, sin embargo, el sumo sacerdote derramó la porción de agua con una actitud de acción de gracias, en gratitud a Di-s por el envío de Su Espíritu para traer salvación y proporcionar lluvia a los cultivos y bendecir la nación.

Un sacerdote veterano que servía como asistente del sumo sacerdote también había hecho su camino a la rampa hasta la ubicación de los recipientes. Llevaba consigo un recipiente de plata que contenía el vino para la libación diaria. En perfecta armonía, el sumo sacerdote y su ayudante vertían sus libaciones en los dos recipientes de plata. El recipiente colocado hacia el este era para el vino, mientras que el recipiente colocado hacia el oeste era para el agua. Puesto que el vino es más grueso que el agua, el agujero en la parte inferior del recipiente orientado al este era ligeramente más grande permitiendo que el agua y el vino fluyeran juntos.

Desde el recipiente, el vino corría hacia abajo en una tinaja especial debajo del altar. Cada setenta años, los sacerdotes jóvenes descendían a esta tinaja para recoger el vino congelado que para entonces parecía rondas de higos secos. El agua, por el contrario, fluía a través de ejes perpendiculares llamados *"shitin"* a un canal subterráneo que se unía al torrente de *Kidron* (Cedrón). De ahí, el agua fluía al río *Gihon* hacia el valle para completar el ciclo. Según los sabios, la parte extraída del Estanque de *Shiloach* (Siloé) regresaba a las aguas del Manantial *Gihon*, llamada la fuente de agua viva, y así de nuevo a las aguas de la creación. La leyenda dice que con el fin de llevar a cada país su potencia y variedad de frutos, estos ejes enrutaban el agua a través de una red subterránea de canales provenientes de debajo del Monte del Templo.

Una vez que el agua y el vino desaparecían de la vista, la multitud exclamaba prolongadamente *Hoshanna* (sálvanos). Con eso, la ceremonia oficialmente terminaba. Ahora esperaban a que las lluvias vinieran y rociara los cultivos para bendecir a toda la Casa de Israel con una abundante cosecha final.

CAPÍTULO UNO

AGUA Y FUEGO

*En Su bondad se renueva cada día, perpetuamente
la obra de la creación, Cuán grande son Tus obras,
Ha'Shem, Las hiciste todas ellas con sabiduría,
el mundo está lleno de Tus bienes.*
(Me'ir: Bendición para el Shemá)

En el otoño del 2014, en *Sukkot* (la Fiesta de Tabernáculos), cientos de judíos ortodoxos conducidos por el Instituto del Templo se reunieron en el parque arqueológico de la Ciudad de David. Se estaba haciendo historia. La multitud estaba allí para recrear *Simcha Beit HaShoevah*, o el Regocijo en la Casa del Derramamiento del Agua, por primera vez en casi 2000 años. Después de descender al Estanque de *Shiloach* (Siloé), la multitud creció a miles a medida que la procesión hacia su camino de regreso a la antigua ciudad de Jerusalén. Entre los participantes había un pequeño grupo de Nuevo México que

estaba presenciando todo el evento y estaban muy emociona-
dos por su buena fortuna.

La multitud eventualmente hizo su camino a la plaza
principal de la Antigua Ciudad en frente de la hermosa sinagoga Hurva. Allí, dos hombres jóvenes vestidos de blanco, con
ropas sacerdotales vertieron el agua y el vino en copas de plata
que estaban sobre el improvisado altar de bloque de cemento.
Esta moderna ceremonia de libación del agua quizás no estuvo
revestida con la grandeza y el esplendor de la celebración original en el Templo, pero el entusiasmo y el sentido del grado
que emanaba de la multitud compensó por ello. ¡De hecho,
muchos creen que la recreación marcó el final de la edad, la
reconstrucción del Templo, y el retorno del Mesías!

¿Por qué debemos prestar tanta atención a la libación
del agua? Esta ceremonia es un gran ejemplo de un ritual de
"creación renovada". La idea de "creación renovada" es clave
en la comprensión de la conexión entre el Templo Santo y
la creación del mundo: el mensaje principal de este libro. "La
creación" y "el Templo" son términos sinónimos, por lo que los
rituales y las ceremonias del Templo no sólo son componentes
críticos del Templo, pero son una parte integral del primer
pacto establecido por Di-s: el Pacto de la Creación. El restaurar este pacto es reconstruir el Templo y recrear los rituales.
Los conceptos de pacto, como la luz y el agua, la unión de los
elementos masculinos y femeninos, la Sabiduría y el ministerio del Espíritu Santo, y la restauración de la unidad del Santo
de los Santos a través del arrepentimiento son sólo algunos de
los temas que deben ser abordados.

La ceremonia de libación del agua fue sin duda una de
las celebraciones más alegres en Israel durante el período del
Segundo Templo. Por desgracia, en ese tiempo, el significado
del servicio había sido olvidado en gran parte. El ritual no se
menciona en el *Tanaj* (AT); aunque, según los sabios, hay
una vaga referencia a ésta en lo que respecta a las ofrendas
de libación requeridas para *Sukkot* (Números 29:17–33).

Aunque no está claro si la ceremonia de libación del agua se realizó en el Templo de Salomón, la ceremonia se conoce como un ritual de renovación en memoria de la creación. Por lo tanto, cuando *Yeshúa* (Jesús) habló a sus discípulos en el último día de *Sukkot* y dijo: "Ríos de agua viva fluirán," (Juan 7:37–39), es muy probable que él estaba impartiendo revelación acerca de la restauración de la creación.

Cuando el agua extraída del Estanque de Siloé (que significa "enviado") era vertida sobre el altar, inevitablemente regresaba a las aguas de la creación: el *Manantial Guijón*. Una fuente de cobre, que se utilizaba para el lavado ritual en el Templo, también se llenaba de agua extraída del Manantial *Guijón*. El lavatorio, llamado el "mar", era un gran recipiente como un caldero con mangos. Cada día, los sacerdotes se lavaban sus manos y sus pies antes de iniciar los servicios de la mañana y entrar en el edificio del Templo. El lavatorio representaba "las aguas principales en el ritual", porque el patio que rodeaba la fuente representaba "el mar que rodea la tierra estable" (Barker 2008: 65). Según Números Rabá (13:19), "el atrio rodea el Templo al igual que el mar rodea el mundo." El Libro de Revelación (4:6) describe el "mar de vidrio semejante a cristal que rodea el trono celestial." Las aguas procedentes de debajo del Monte del Templo que se utilizaban para estas ceremonias del Templo eran conocidas como *las aguas de la creación y la fuente de agua viva: el Guijón.*

¿Qué significaba la ceremonia de libación de agua para los creyentes del primer siglo? Sólo podemos especular, pero un verso en el Libro de Enoc conecta el agua a la Sabiduría y al Espíritu, "La sabiduría se derrama como agua", y describe al Elegido como lleno del "espíritu de la sabiduría, el espíritu que da perspicacia y el espíritu de comprensión y poder "(1 Enoc 49:1,3). (El Libro de Enoc es un trabajo importante sobre todo para su desarrollo histórico y religioso en el Judaísmo que data de 200 AC al 100 EC. El libro es parte de la Pseudepigrapha (escritos judíos cuyos autores utilizan un seudónimo) y se considera un libro no—canónico que fue atribuido a Enoc, el bisabuelo de Noé. El libro fue familiar a los escritores del NT, fue citado en Judas 1:14.15, y se atribuyó a los antiguos hasidios y posteriormente a los fariseos. Fue originalmente escrito en parte en arameo y en parte en hebreo en cinco secciones paralelas a los cinco libros de la Torá, así como otras obras como los Salmos.)

Tal vez cuando *Yeshúa* dijo: "El que tenga sed, venga a mí y beba", o cuando habló de "ríos de agua viva" que salen de "su interior" (Juan 7:37), se refería al regreso de la Sabiduría al Santo de los Santos. Curiosamente, sus comentarios fueron hechos en el Templo de Jerusalén en el último día de *Sukkot*, llamado *Hoshana Rabbá*: el Día de Gran Salvación. "Esto dijo del Espíritu Santo que habrían de recibir más adelante los que confiaran en Él" (Juan 7:39). Tal vez *Yeshúa* también estaba declarando que el Espíritu, como personificación de la Sabiduría, una vez más fluiría como ríos de agua viva. El Libro de Enoc alude a la sabiduría como el agua que fluye desde la fuente de agua viva dentro del Santo de los Santos:

> En ese lugar vi la fuente de la justicia, la cual era inagotable, y a su alrededor había muchas fuentes de sabiduría, todos los sedientos bebían de ellas y se llenaban de sabiduría y habitaban con los santos, los justos y los elegidos. En ese momento ese Hijo del Hombre fue nombrado en presencia del Señor de los Espíritus y su nombre ante la Cabeza de los Días.
>
> (1 ENOC 48:1,2)

En el libro de Proverbios, la Sabiduría es personificada como una esposa quien edifica una casa con siete pilares (Proverbios 9:1) Ella se compara a corrientes de agua que fluyen en las calles y una fuente de agua fresca que trae vida y alegría (Proverbios 5:15–18). La Sabiduría está vinculada al agua del Espíritu que quita la sed.

El Espíritu y la Esposa dicen: '¡Ven!' Que todos los que oiga digan: '¡Ven!' Y todos los que tienen sed vengan, el que desee, tome del agua gratuitamente."

(REVELACIÓN 22:17)

La erudita británica Margaret Barker comparte otro aspecto de la Sabiduría conectado al pacto de la creación:

> La sabiduría era el árbol de la vida, cuyos frutos dio sabiduría, cuyas hojas eran para la sanidad y cuyo aceite se utilizó para la unción, para abrir los ojos... y ella era quien conectaba todas las cosas en armonía. Ella fue, en efecto, el pacto de la creación que se describe a veces como el Espíritu y, a veces como justicia.

(BARKER 2010:250)

La relación entre la Sabiduría y el Espíritu (discutido en el capítulo 5) y la libación del agua ritual se propone por primera vez en Génesis. Se nos dice que el Espíritu de Di-s (la Presencia Divina) flotaba sobre la faz de las aguas (1:2). Los sabios creían que, "En el principio, antes de la creación, el mundo era agua en el agua" (Génesis Rabá 5:2). Entonces, Di-s separó las aguas. Las aguas masculinas de arriba se dividieron de las aguas femeninas abajo; las aguas femeninas fueron llamadas *tehom* (profundidad). La tradición antigua dice que cuando las dos aguas fueron forzadas a separarse éstas lloraron por su deseo de reunirse.

> Recíbenos, tú eres la creación del Santo, bendito sea Él, y somos sus enviados. Inmediatamente las recibieron...como cuando una fémina se abre ante el varón.

(GÉNESIS RABÁ 13)

Según la leyenda, una vez que el agua de la vasija de oro era vertida sobre el altar, hembra" (*BT Baba Batra*

74b). Incluso los diluvios se consideraban el resultado de la unión entre las aguas masculinas y femeninas. En el *AMO* (Antiguo Medio Oriente), cuando el Tigris y el Éufrates se inundaban cada año para el beneficio de los cultivos, se entendía que ésta inundación representaba la unión entre las deidades masculinas y femeninas (Patai 1947). El Rabino *Abahu* se refirió a las aguas en el recipiente de plata, corría a lo largo de los ejes para reunirse a las aguas de las profundidades. Esto hacia que las aguas inferiores se levantasen para encontrarse con las aguas de arriba, por lo que su unión creaba nueva vida. Rabí *Yehudá* dijo: "Todo lo que el Santo, bendito sea, creó en su mundo lo creó macho y superiores como un novio y las aguas inferiores como una novia. Su analogía ilustró que cuando las lluvias llegaban en *Sukkot*; las aguas de arriba se unían con las aguas de abajo, como un novio con su novia en su *Sukkah* (sucá).

Creación podría definirse, entonces, como la reunión de los elementos masculinos y femeninos con el fin que dos personas se unan en una casa para producir vida. El pacto de la creación es esencialmente de un convenio relacionado con el compromiso y el matrimonio. Esto es una actividad para la construcción del templo, para construir un templo es construir una casa y una familia. Los servicios y ceremonias del Templo, los cuales eran recreaciones de la creación, fortalecían los lazos de esta alianza.

> El punto de vista bíblico es una visión de la unidad de todas las cosas, y cómo el mundo material visible se relaciona a otra dimensión de existencia que une a todas las cosas en un sistema divinamente ordenado conocido como el pacto eterno, el pacto de la creación.
>
> (BARKER 2010:19)

Oseas pavimenta esta imagen para nosotros cuando revela que se aproxima un *día* — un *día* en que todas las cosas se unirán, cuando el pacto de la creación, como un ritual de compromiso, sea restaurado.

> Cuando ese día venga, Yo haré un pacto para ellos con los animales salvajes, y las aves en el aire y las cosas que se arrastran de la tierra, Yo quebraré arco y espada, barreré la batalla de La Tierra, y haré que moren en seguridad. Yo te desposaré conmigo para siempre; sí, Yo te desposaré conmigo en rectitud, en justicia en misericordia y en tierna compasión; Yo te desposaré conmigo en fidelidad, y tú conocerás a Adonaí. Cuando ese día venga, Yo responderé," dice Adonaí Yo responderé al cielo y él le responderá a la tierra;
>
> (OSEAS 2:18–21)

El Pacto de la Creación

> *El Monte Sinaí se envolvió en humo, porque el Señor descendió sobre él en fuego — su humo subió como humo de un horno, y toda la montaña se estremeció violentamente.*
>
> (ÉXODO 19:18)

La historia de *Avram* y el pacto entre las partes es rica en significado y simbolismo. La antorcha y el horno humeante que pasó entre las partes de los animales cortados confirmaron el pacto de la creación entre *Avram* y Di-s. En la Biblia, la narrativa contiene pocos detalles. La siguiente representación ficticia es un ejemplo de una leyenda *midráshica* muy popular durante el período del Segundo Templo y hasta bien entrada en la época Talmúdica. Un *Midrash* es un método de interpretación bíblica que llena los vacíos de la narrativa y se centra en los acontecimientos y personajes en lugar de las enseñanzas morales y legales:

El día era cálido fuera de estación. *Avram* salió de la sombra protectora de su tienda, y con gotas de sudor en la frente se dirigió a la zona del sacrificio en su campamento —era hora de hacer el holocausto regular de la tarde. Se sorprendió por el sonido de un viento violento, que parecía consumirlo todo a la vez. *Avram* se preocupó que el viento dañase el campamento, pero el aullido cesó tan bruscamente como había empezado. Él suspiró de alivio mientras miraba a sabiendas hacia el cielo. Su simiente sería más numerosa que las estrellas del cielo; esa fue la promesa de Di-s le había hecho.

Avram estabilizó el cordero y comenzó la matanza ritual. Aunque ésta tarea se realizaba dos veces al día, hoy era diferente. *Avram* cortó los animales en dos mitades, en lugar de las nueve partes habituales. Colocó las mitades en el suelo, opuestas entre sí, dejando espacio entre ellos para un camino. La sangre de los animales se esparció en todas direcciones. Alguna se filtró en el suelo dejando tras sí una mancha roja brillante. La imagen le recordó a *Avram* de su antepasado, Adán, el sumo sacerdote del jardín en Edén. La palabra hebrea para Adán salió de las palabras *Adamah*, que significa "tierra roja", y *dam*, que significa "sangre".

Mientras se desvanecía el día, y la oscuridad descendió sobre el campo, el olor metálico de la sangre atrajo a una pequeña estela de buitres que comenzaron a atacar los cadáveres. *Avram* los agitó furiosamente, espantándolos; una vez que se habían ido, regresó a su tienda donde estaba sentado envuelto en una densa oscuridad. *Avram* se sintió como si hubiera regresado a aquellos primeros momentos de la creación cuando todo estaba desordenado, vacío y completamente ennegrecido. Al caer en un sueño profundo, oyó la voz distintiva de la Presencia Divina: "Esta tierra en la que has levantado tu tienda te pertenece a ti y a tu descendencia, para siempre." Fue como si hubiese entrado en la atmosfera del Santo de los Santos: el lugar del oráculo de Di-s.

De repente, en medio de la oscuridad, *Avram* se dio cuenta de una luz resplandeciente justo fuera de la abertura de su tienda. Esto causó que *Avram* reflexionara sobre la primera luz de la creación. Él dejó escapar un jadeo cuando vio la fuente: un horno humeante y una antorcha de fuego que pasaba entre los animales que había cortado por la mitad. *Avram* sabía que era la Presencia Divina. El humo negro del horno llenó el campamento y lentamente se deslizó dentro de la tienda de *Avram*. Se acordó de las historias que había oído de los antiguos, los grandes sacerdotes de edad, que entraron en el Santo de los Santos un día cada año para hacer expiación por el pueblo. *Avram* reconoció el servicio de sangre y el incienso. Él sabía que estas cosas estaban relacionadas con expiación — que eran parte de un ritual de restauración destinado a restablecer el pacto de la creación que se había roto en el jardín. Él sabía que el humo de las brasas ardientes, sobre el que había colocado el *ketoret* (incienso), trajo una fragancia divina que dispersó la oscuridad e hizo que el mal olor de la sangre se disipara. *Avram* entendió que el olor dulce del *ketoret* faculta el alma humana a regresar al Único y Verdadero Di-s. El arrepentimiento fue *la* señal de que el "pacto de la creación", que se había roto a través de la desobediencia, ahora fue reparado — que el camino al Santo de los Santos estaba sin obstáculos. El pacto sellado ese día significó que la semilla de *Avram* encontraría algún día descanso permanente en la tierra que Di-s prometió. *Avram* entendió esto.

La comprensión de los pactos es de suma importancia para la comprensión de la Biblia. La mayoría de los cristianos están familiarizados con el pacto de Abraham, el Mosaico, el pacto Davídico. Y, por supuesto, los cristianos reconocen el *Brit Hadashá*, el Pacto Renovado, o Nuevo Pacto (NT), que es el fundamento de nuestra fe en el Mesías *Yeshúa*. Pero pocos entienden o incluso reconocen el pacto de la creación. De acuerdo con Margaret Barker, el pacto de la creación también fue llamado el "pacto eterno" o el "pacto de paz" (2010: 122). Ella explica, además, que el pacto de la creación fue un convenio condicional mediante el cual el arrepentimiento restauraría los lazos rotos —"un pacto de la creación roto trajo ira y así al reparar la brecha en el pacto fue llamado expiación" (2010: 123). Ireneo declaró: "El pacto renovado en el Nuevo Testamento era fundamentalmente el pacto de la creación." La restauración del convenio requiere en primer lugar un acto de expiación. Esta es la sangre de *Yeshúa* la "Nueva Alianza". Los servicios de sangre y el incienso que tuvieron lugar en el interior del Lugar Santísimo en *Yom Kippur* (Día del Expiación) eran rituales de expiación. Simbólicamente, estos rituales previnieron las consecuencias destructivas de la ira y el juicio.

El pacto de la creación no se nombra específicamente en la Biblia; sino que está escondido en las letras hebreas de la primera palabra, *Beresheet*: en el principio. Dos palabras hebreas forman la palabra *Beresheet*: *brit* que significa "pacto", y *esh* que significa "fuego". Es decir, el pacto de la creación es un *Pacto de Fuego*. "Cuando Di-s creó el mundo, fue creado sólo a través de un pacto" (Zohar I, 89a). A pesar de que *brit* se traduce como "cortar", en realidad significa la "unión" entre dos mitades. Un pacto, por lo tanto, describe una relación en la que dos partes se unen para convertirse en uno. Un pacto matrimonial es un ejemplo de la palabra hebrea para el hombre, *eish*, y la mujer, *eishah*, ambos se derivan de la palabra para fuego: *esh*. Un animal cortado en dos, *brit*, se asemeja a la mujer cuando es "cortada" del hombre. La creación restaurada significa que Di-s estaba entrando en una relación de pacto con su creación mediante la unión del hombre y mujer para convertirse en una casa. El Pacto de Fuego, el cual selló la unidad entre marido y mujer, se ratificó en la cámara interior del Santo de los Santos entre Di-s, como el marido e Israel, como la esposa. Enoc describió el Santo de los Santos como una *casa de fuego* (1 Enoc 71:5,6).

En el mundo antiguo, un pacto es un acuerdo entre dos partes. Ciertas condiciones se aplican en virtud de lo que cada cual comprometió para el otro. Un pacto se instituía al ofrecer un animal cebado cortado por la mitad. Cuando las dos partes pasaban entre las mitades del animal, se cimentaba su unión al aceptar cumplir con los términos de su pacto. Si una parte no cumplía con sus obligaciones, la otra parte se liberaba del contrato. Cuando un pacto se rompía, se rompía también la unión entre las dos partes. Esto daba lugar a un colapso completo del acuerdo. La alianza proporcionaba protección; una vez rota, tenía que arreglarse o seguía la ira y el juicio. Una vez más, los servicios de sangre e incienso en el Día de la Expiación eran rituales de recreación que restauraron el pacto de la creación colapsado a su estado original.

> El ritual del Templo en el Día de la Expiación debía haber expresado la restauración del estado original... expiación refiere a la renovación de la creación y por lo tanto estaba en el corazón del mensaje cristiano.
>
> (BARKER 2010: 92)

El escenario del *Brit Esh*, el "Pacto de Fuego", fue el Santo de los Santos: el santuario interior del Templo. El Santo de los Santos fue llamado *debir*, lo que significa oráculo, donde Di-s habló a sus sumos sacerdotes y comunicaba cosas más allá del mundo físico de los hombres. Cuando Di-s habló, Su Palabra se parecía a lenguas de fuego. En otro pasaje, Enoc describe el cielo como una gran casa rodeada de lenguas de fuego.

> He aquí que vi una puerta que se abría delante de mí y otra casa que era más grande que la anterior, construida toda con lenguas de fuego. Toda ella era superior a la otra en esplendor, gloria y majestad, tanto que no puedo describiros su esplendor y majestad. Su piso era de fuego y su parte superior de truenos y relámpagos y su techo de fuego ardiente. Me fue revelada y vi en ella un trono elevado cuyo aspecto era el del cristal y cuyo contorno era como el sol brillante y tuve visión de querubín. Por encima del trono salían ríos de fuego ardiente y yo no resistía mirar hacia

allá. La Gran Gloria tenía sede en el trono y su vestido lucía más brillante que el sol y más blanco que cualquier nieve; ningún ángel podía entrar verle la cara debido a la magnífica Gloria y ningún ser de carne podía mirarlo. Un fuego ardiente le rodeaba y un gran fuego se levantaba ante Él. Ninguno de los que le rodeaba podía acercársele y multitudes y multitudes estaban de pie ante Él y Él no necesitaba consejeros.

(1 ENOC 14:15–22)

Imagínese a Moisés en el Monte Sinaí recibiendo la Torá en forma de lenguas de fuego. La Biblia describe el Monte Sinaí envuelto en humo porque Di-s había descendido sobre la montaña en el fuego. El humo subía como el humo del horno. La cima de la montaña representa el santuario interior del Templo.

Moisés subió a la montaña, y la nube cubrió la montaña. La Gloria de Adonaí se quedó sobre el Monte Sinaí, y la nube lo cubrió por seis días. Al séptimo día Él llamó a Moisés desde la nube. Para los hijos de Israel la Gloria de Adonaí lucía como fuego abrasador en la cumbre de la montaña.

(ÉXODO 24:15–17)

No es difícil ver el patrón de la semana de la creación que emerge o a Moisés en su papel de sumo sacerdote en el Santo de los Santos. El séptimo día en este pasaje es paralelo al *Shabbat* (sábado) de la creación. El marco de tiempo es un *Shabbat* Alto durante la fiesta de *Shavuot* (Fiesta de las Semanas o Pentecostés). Más tarde, los rabinos conectaron a *Shavuot* con la entrega de la Torá de Moisés (el Pentateuco o los primeros cinco libros de la Biblia). En este caso, la Torá apareció como lenguas de fuego que salieron del santuario interior, la sala del trono del Santo Templo de Di-s, al igual que lo describió Enoc.

El *Pacto de Fuego* funcionaba en el contexto del Templo. Esto mejora nuestra comprensión del segundo capítulo del libro de los Hechos. Los creyentes se reunieron en "un solo lugar", una referencia directa al Templo. Un sonido como el rugido de un viento recio llenó la Casa. Noten que es un *sonido* que llenó la casa, no una sustancia. Entonces vieron lenguas de fuego. Aunque la Escritura dice que las personas estaban sentadas, no podrían haber estado sentados en el edificio del Templo o en el Atrio interior. Sólo un rey descendiente de David podría sentarse allí. Es probable que ellos se sentaran en el Atrio de las Mujeres, donde se erigieron cuatro grandes lámparas para el festival de *Sukkot*. Fue allí donde las lenguas de fuego se posaron sobre cada uno de ellos. Las "palabras" que hablaron se originaron a partir del oráculo de Di-s — del Santo de los Santos en el cielo, donde el Arca del Pacto estaba con las tablas de piedra en el interior. Era la hora del servicio regular de oración matutina. Lucas cita al profeta Joel, "Derramaré de mi Espíritu sobre toda carne", lo que sugiere la Sabiduría siendo derramada como agua y fuego. *Yeshúa* había ascendido al cielo y había realizado los servicios del sumo sacerdote — aplicando su sangre en el altar y el incienso a las brasas. El Pacto de la Creación fue restaurado, y el Reino del Cielo comenzó a extenderse desde el Santo de los Santos hasta los confines del mundo.

En el Principio una Casa

Pero en los últimos días el Monte de la Casa del Señor será establecido como el Monte más importante. Será considerado más altamente que otras colinas, y los pueblos correrán a él. Muchos gentiles irán y dirán: "¡Vengan, subamos al Monte del Señor, a la casa del Elohim de Ya'akov! Él nos enseñará de sus caminos y nosotros caminaremos por sus sendas." Porque de Sión saldrá la Torá, la palabra del Señor desde Jerusalén.

(MIQUEAS 4:1,2)

El viaje de Jacob a Betel y su visión de la escalera que estaba entre el cielo y la tierra es una de las historias más conocidas de la Biblia. El siguiente recuadro de ficción lleva al camino de la vida de Jacob a la montaña y su encuentro con Di-s. Ambos templos finalmente se construirían en el sitio donde había visitado:

Ya'acov (Jacob) dejó la comodidad de su casa en *Beersheva* (Berseba). Viajó a *Charan* (*Harán*) para asegurar una novia de entre los clanes de su Gran Tío Labán. Rebecca, su madre, deseaba que su hijo se casara y construyera una casa en medio de su propia gente. También estaba preocupada por la seguridad de su hijo favorito, porque su hermano, *Esav*, estaba a punto de confrontarle. Ya que el viaje a *Charan* era extenuante, *Ya'acov* se desvió en el camino para acampar en un lugar apartado cerca de la ciudad de Jerusalén. Había oído historias de su abuelo, *Avraham*, y su padre, *Itzchak* (Isaac), acerca de un lugar oculto donde Di-s les había aparecido.

Viajando con sólo su ganado como acompañantes, *Ya'acov* hizo su trayectoria hacia el norte, hacia las montañas de Jerusalén. Al acercarse, se detuvo para admirar la vista desde la cumbre sur. Desde detrás de una nube, los rayos del sol se asomaban como rayos de luz que emitan su brillo dorado en la cima de la montaña donde se dirigía. Él sabía que éste era "el lugar". Al llegar a la cima, el sol poniente rozó el cielo con una tonalidad de color de rosa. Cansado, con hambre, y extenuado del largo día, *Ya'acov* inspeccionó la zona buscando un lugar con césped para erigir su tienda. Sólo encontró un gran afloramiento, justo debajo de la cima, por lo que levantó su tienda sobre la suave roca. *Ya'acov* vio un tosca piedra de altar para sacrificar a su cordero para el holocausto de la tarde, y luego se dio cuenta de un pequeño arroyo que rebosaba de debajo de la roca. Tomó un largo trago de agua cristalina, y se lavó las manos y los pies antes de entrar en su tienda — como los sacerdotes antes de él habían hecho. Elogió a Di-s por su buena suerte, recordando lo que su abuelo le había dicho de "el lugar": "Debajo de esta piedra se oculta la fuente de todos los manantiales y fuentes de las que el mundo bebe su agua."

Antes de entrar en la tienda, *Ya'acov* había tomado doce piedras del altar del holocausto y las organizó en derredor de su cabeza como protección. De alguna manera, milagrosamente, las doce piedras se fundieron en una sola piedra grande cuando el último rayo de luz desapareció del cielo. *Avraham* había llegado a este mismo lugar, muchos años antes, para ofrecer *Itzchak* en el mismo altar. *Ya'acov* recordó la historia. Di-s intervino, y *Avraham* encontró un carnero trabado en un zarzal, para ofrecerlo como sustituto del padre de *Ya'acov*. Su abuelo le había dicho el nombre de este lugar especial. Lo había llamado, "en este monte el Señor será visto." Parecía a *Ya'acov* que "el lugar" era como una Casa Santa debido a que la presencia divina estaba allí.

Oscuridad espesa, que recuerda a la creación, se asentó en el campo cuando *Ya'acov* cayó en un profundo sueño. Tuvo un sueño bien curioso. Vio una rampa ajustada hacia el suelo con su parte superior extendida al cielo; ángeles subían y bajaban en ella. *Avraham* le había contado a *Ya'acov* historias sobre la vida en el templo de Ur. Los locales habían ayudado al Rey de Ur construir un zigurat gigante (altar escalonado en forma de pirámide) para el dios sumerio de la luna, Nanna. La escalera exterior del zigurat habilitaba a Nanna ascender y descender del cielo, para que sus súbditos lo alimentaran. En una ocasión, después de descender, tomó su consorte, Ningal, en el santuario interior de su templo para consumar su matrimonio con el fin de producir descendencia de dioses.

A pesar de la escalera al cielo, *Ya'acov* conocía que este santuario de la montaña era diferente de los templos en el este. El altar de los holocaustos en el templo sería *el* punto de contacto entre el hombre y el Único y verdadero Di-s. La roca donde *Ya'acov* puso su cabeza se convertiría en el asiento futuro del Santo de los Santos del cual la simiente de *Ya'acov* podían ser hechos hijos de Di-s.

R. *Judá* dijo: Él (Jacob) tomó doce piedras, diciendo: "El Santo, bendito sea, ha decretado que doce tribus deben brotar. Ahora ni Abraham ni Isaac las habían producido. Si estas doce piedras se unen una a la otra, entonces sé que voy a producir las doce tribus." Por tanto, cuando las doce piedras se unieron, sabía que iba a producir las doce tribus.

En su sueño, *Ya'acov* vio un fuego ardiente rodeando la roca donde estaba durmiendo. Era como si el poder de Di-s lo hubiera ensombrecido por completo, como si la Presencia Divina literalmente hubiese cauterizado Su imagen en el cuerpo de *Ya'acov*. La huella dejada en la roca era el de una casa en forma de un hombre. Entonces *Ya'acov* escucho la Presencia Divina hablarle en tonos atronadores diciéndole: "Yo soy Adonaí, el Dios de *Avraham* tu padre, y el Dios de *Itzchak*, el suelo donde estás acostado, se lo daré a tu descendencia." *Ya'acov*, aún soltero, ahora sabía a ciencia cierta que la fundación de su casa estaría en "este lugar", y que su descendencia sería extendida a los cuatro confines de la tierra.

Ya'acov se levantó temprano a la mañana siguiente, y tomó una piedra que había venido de las doce. La erigió como uno un pilar en la entrada de su tienda para confirmar un convenio especial con Di-s. Parecía a *Ya'acov* que la piedra estaba viva en este lugar santo. El ungió la roca con aceite de oliva especialmente presionado, y recitó una bendición. *Seguramente*, pensó, *este es el lugar del Santo de los Santos, y yo estoy confirmando el "Pacto de Fuego" con este aceite de unción.* La piedra viva que había sido tomada del altar de Di-s *Ya'acov* recordó que un día un sumo sacerdote, del orden de *Melquisedec*, entraría en el Santo de los Santos. Allí él cubriría los pecados de toda su casa para que pudieran vivir para siempre.

Ya'acov movió su cabeza, muy inestable en sus pensamientos. Él sabía que Di-s estaba con él, así que cambió el nombre del lugar a *Bethel* (*Beit* El), Casa de Di-s. "Al nivel de la divinidad la casa simboliza el propósito de toda realidad: convertirse en un lugar de habitación para la manifestación de la presencia de Di-s" (Ginsburgh 1991: 46). "No como Abraham, que la llamó [el Templo] una montaña... ni como Isaac que lo llamó un campo... pero como Jacob, quien la llamó una casa" (BT *Pesajim* 88a).

✡   ✡   ✡

Eruditos del *AMO* (Antiguo Medio Oriente) sugieren que "en el principio" o *beresheet* (la primera palabra de la Biblia) abarca toda la semana de la creación de siete días. "En el principio" no significa el primer elemento de una secuencia de eventos, ni tampoco significa algo que ocurrió antes de todo lo demás. "En el principio", fue la semana completa de la creación, y la frase es sinónima a los rituales de construcción y dedicación de templos. La primera letra de *beresheet* se *beit* que significa "casa" en el lenguaje pictográfico. La letra *beit* se agranda en el rollo de la Torá, y tiene un valor numérico de dos. "Dos" y "casa" indica tanto algún tipo de separación o división. La separación, como veremos en el capítulo tres, define el acto de la creación. La creación es un proceso de separación de pares de elementos con el fin de unirlos en conjunto como uno solo. La construcción de casas o templos tipifica el acto de la creación, así como un pacto confirmando en la unión entre dos partes.

Los sabios antiguos explican que Di-s eligió la letra *beit* para Su casa / Templo con el fin de revelarse a Sí mismo en el mundo natural, aunque permaneciera oculto en el mundo eterno. La letra *beit* agrandada, sin embargo, era un rompecabezas para ellos. «¿Por qué», preguntaron, Di-s eligió la letra *beit* sobre la letra aleph — que es la primera letra del alfabeto hebreo, y que representa a Di-s mismo?" El *Midrash* explica cómo se eligió la letra *beit*:

El *Midrash* cuenta que todas las veintidós letras del alfabeto hebreo estaban inscritas en la corona de Di-s: Cuando estaba a punto de crear el mundo, ellas [las letras] descendieron y se juntaron delante de Él, cada una de ellas solicitando ser utilizada para la Creación. En primer lugar, la letra tav hizo su reclamo, entonces la letra shin, y así sucesivamente. Por último, beit se adelantó y dijo: "Que el mundo sea creado conmigo, porque todos los seres me van a usar para bendecir a Di-s." Di-s aceptó inmediatamente esta afirmación y dijo: "Así comenzará la Creación."

(MUNK 1983: 57)

Una letra generalmente da su significado basado en la primera vez que se utiliza en una palabra raíz. En este caso, la segunda palabra de la Biblia, *bará* (para crear), es la primera vez que la letra *beit* se utiliza de esta manera. El significado de *beit*, "una casa", se relaciona con *bará*, "crear". Estos son conceptos esencialmente intercambiables, por lo que casa/templo es sinónimo de la creación.

Bereshit también puede ser reorganizado para formar una variedad de frases relacionadas para casa. Por ejemplo, *beit rosh* que significa "la casa es cabeza" y *barah shtei* significa "él hizo dos". Esto sugiere la casa/Templo es la cabeza de todas las cosas y hace de la unión de dos. Una pareja de esposos forman una casa para proteger y proveer a su semilla y para dar estabilidad a la familia y a la comunidad primitiva. En el pensamiento hebreo, la esposa de un hombre es llamada su casa a pesar de que "casa" es un sustantivo masculino. Siete días antes de *Yom Kippur*, el sumo sacerdote se separaba de su casa, y otra mujer se preparaba para él en caso de que la primera muriese: "y hará expiación por sí mismo y por su casa, su casa — es su esposa" (Mishná *Yoma* 1:1). La segunda esposa se convertiría en "su casa" si la primera moría. El sumo sacerdote no podía entrar en el Santo de los Santos, en nombre de la nación, si primero no hacia expiación por él y su esposa.

Los templos del *AMO* (Antiguo Medio Oriente) generalmente se construían de bloques de piedra. *Aven*, la palabra hebrea para piedra, se deriva de dos palabras: *Av* (padre) y *ben* (hijo). *Ben* es también la raíz del verbo *banah* que significa "construir." Las casas en el mundo antiguo se establecieron a través de los hijos de la familia. En el desierto, se añadían nuevos paneles a la tienda de la familia cuando nacían hijos, pero fueron las mujeres quienes eran responsables de la costura de los paneles en la tienda, así como el desmontaje y montaje de la tienda. En efecto, las mujeres construían la casa. Esta es la razón por la que las dos mujeres de *Ya'acov*, Raquel y Lea, además de sus dos concubinas se consideraron las constructoras de la Casa de Israel (Rut 4:11). Los paneles del Tabernáculo, por ejemplo, fueron hechos de tela tejida por mujeres. Este tema se expresa mejor en Proverbios 31 que describe la mujer virtuosa que adquiere la lana y el lino y trabaja con sus manos para construir una casa. Esta mujer, que se vestía de púrpura y lino fino, también se viste de fuerza y dignidad y es representativa del templo: los pies en la casa de Di-s. "Cuando un hombre está en casa, el fundamento de su casa es la esposa porque es a causa de ella que la presencia divina no se aparta de la casa" (Zohar I, 50a).

En última instancia, cada familia humana debe reflejar la creación a través de la actividad de la construcción del templo. La obra de la creación, o "la construcción de casas," se ve claramente en el contexto del matrimonio por lo que la unión del marido y mujer producen descendencia de generación en generación. "En su bondad Él renueva cada día, perpetuamente, la obra de la creación" (De la oración *La'el*, una bendición del *Shemá*). Cada hogar ha de ser un santuario para sus habitantes y fungir como el Templo de la creación establecido por Di-s.

La Casa Hoy

La dificultad que los creyentes modernos tienen en ver las imágenes del templo me recuerda el hundimiento del Titanic. Cuando niña desarrollé una fascinación por la historia del Titanic. He leído casi todo lo que pude encontrar sobre el tema; quería entender lo que realmente sucedió esa noche. Para mí, fue un frío caso de misterio de asesinato esperando a ser resuelto. Me emocioné cuando el oceanógrafo y ex oficial de inteligencia naval Robert Ballard descubrió el Titanic en la costa de Terranova en 1985.

Durante los últimos 103 años o más, muchas teorías se han surgido para explicar los acontecimientos que llevaron a hundimiento del Titanic. Años de especulaciones finalmente se desvanecieron cuando Tim Maltin, autor e historiador británico, descubrió la verdadera historia después de muchas, muchas horas de investigación. Hoy es uno de los principales expertos del mundo del Titanic y es autor de tres libros sobre el tema.

Después de una vasta examinación de los registros de naves, registros de tiempo, y miles de testimonios principales, Maltin descubrió lo que pasó esa fatal noche. Los testigos oculares habían informado mares increíblemente tranquilos y cristalinos, una noche estrellada, más allá de lo que jamás habían visto. El horizonte parecía como si, literalmente, se hubiera mezclado en el cielo. A medida que el barco navegó hacia el sur, una "neblina misteriosa" apareció el cual el Titanic nunca parecía alcanzar. Un frente frío se movió rápidamente cuando salió de las aguas cálidas de la Corriente del Golfo a las aguas heladas de la Corriente del Labrador. Tim Maltin reconoció estos signos como una inversión térmica donde el aire frío queda atrapado bajo aire caliente. Las condiciones atmosféricas eran perfectas para un caso de súper refracción (desviación de luz) un evento que crearía muchas ilusiones ópticas esa noche. En los círculos marítimos, este fenómeno se conoce como un "espejismo de agua fría." Este espejismo explica por qué la tripulación no pudo ver el tempano de hielo a tiempo. Se ocultó dentro de la "neblina misteriosa" en un horizonte falso.

Para los estudiosos de la Biblia, del siglo XXI, el mundo del Templo es muy parecido a al tempano que se ha ocultado en una "neblina misteriosa." El espejismo es nuestra mentalidad moderna, la forma occidental de pensar con su fuerte énfasis en lo científico sobre lo mitológico. Sin embargo, para el mundo antiguo, las personas a las que en realidad la Biblia fue escrita, la percepción era muy diferente. Reconocieron que el mundo del templo existía fuera del tiempo y espacio. Lo llamaron *eternidad*. Los eruditos modernos, casi exclusivamente, se centran en la Biblia como un registro de la historia. Temas misteriosos, como la creación del mundo terminan en argumentos políticos sobre fechas, cronología, y el origen del material. Pero los antiguos veían la creación como un templo cósmico que existía en el mundo mítico (eterno) fuera del tiempo. Ellos vieron el cosmos (universo ordenado) como el espacio sagrado de Di-s y la creación como Su Templo.

Para el mundo antiguo, la construcción de templos, la creación y el cosmos eran esencialmente lo mismo, moldeados a la imagen de Di-s. De acuerdo con el erudito del *AMO* Víctor Hurowitz, la creación fue el acto de construir, y el Creador fue el arquitecto inteligente, informado y exigente. La actividad de la casa/templo se expresa mejor a través de la unificación de los elementos masculinos y femeninos. Este patrón se encuentra a lo largo de la semana de la creación del cielo y la tierra, el día y la noche, las aguas en lo alto y en lo bajo, la tierra y el mar, la luz y la oscuridad, Adán y Eva (cada uno de estos pares hebreo contienen un sustantivo masculino y femenino). Cuando los elementos masculinos y femeninos se unen, forman una casa. Cada familia humana es, por lo tanto, un templo en miniatura creado a la imagen de Di-s. Una casa/templo se define como un esposo y esposa que en conjunto producen nueva vida. El propósito de la familia es la creación de nueva vida, preservarla, y llevarla al orden y la estabilidad en el universo. Los Templos de la *AMO*, proveyeron esa estabilidad a la comunidad en la que se construyeron.

El Templo/casa fue concebido en la mente de Di-s. El plan para una familia fuerte se basa en la obediencia al primer mandamiento: "Sean fructíferos, multiplíquense y llenen la tierra" (Génesis 1:22,28). La historia de la creación capta la construcción de una casa que luego fue llena. A fin de cuentas la construcción del templo en el *AMO* describe cómo los dioses llenaban sus casas con riquezas y todo tipo de cosas buenas. Y así, como un templo, el cosmos fue lleno de cuerpos celestes, la tierra fue llena de semillas dadoras de vida para que fuese fructífera, el templo del cielo se llenó de gloria de Di-s, el jardín estaba lleno de árboles que daban vida, y el arca de Noé estaba llena de animales y una familia. El rey Salomón llenó la casa con la sabiduría de Di-s con el fin de proporcionar al reino la administración de justicia y rectitud. Esto probablemente explica el significado serio de ser "llenado" con el Espíritu Santo. Este es un lenguaje que describe el templo de la comunidad de Di-s como un "templo" donde el Espíritu Santo (Sabiduría) habita. Ese templo se debe llenar de toda cosa buena, amor, alegría, paz, paciencia, benignidad, bondad, fidelidad, mansedumbre y dominio propio. La gloria de Di-s llena la tierra y la sociedad de la familia humana expresa este ideal.

Di-s es el autor del orden, y nos da el privilegio de ser fructíferos y multiplicarnos para llenar Su casa. Por desgracia, la familia de hoy está bajo una tremenda presión de la cultura en general. La institución del matrimonio está siendo deteriorado. Los cimientos se están derribando bajo el peso del pecado y la desobediencia, y el orden de la creación está colapsando cuando las leyes naturales se transgreden continuamente. La ruptura de la familia no es nada nuevo, sin embargo, la Biblia revela la mala condición espiritual de la Casa de Israel a lo largo de su historia. Había un gran número de "disfunción familiar" por todos lados. Nuestra función en el Reino es poblar el mundo con la semilla (la palabra de Di-s) sin limitaciones o restricciones. Su Reino es el centro del mundo ordenado donde Él preserva, protege y crea vida, y donde se realiza la función.

El desorden y el quebrantamiento del mundo (cosmos) son el resultado del pecado y la caída humana. Tenemos mucho trabajo por hacer para reparar la familia. Creo que la restauración familiar es fundamental no sólo para la cultura y la sociedad, sino para la restauración de la creación misma. Cada familia que sana pone el reino de la oscuridad sobre aviso de que el Pacto de la Creación está siendo renovado y la Casa de Di-s está siendo restaurada. La unidad es el fruto glorioso. Esto es especialmente cierto para el Cuerpo del Mesías que está muy fragmentado hoy. *Yeshúa* habló de la unidad en el contexto de su cuerpo, lo cual lo describió como un templo (Juan 2:21).

> Ustedes han edificado sobre el fundamento de los emisarios y de los profetas, con la piedra angular, siendo esta, Yahshúa Ha Mashiaj mismo. En unión con Él, el edificio completo crece hacia el Templo Santo de morada en el Señor. 22 ¡Si, en unión con Él, ustedes están siendo edificados juntos en el hogar del Señor en el Espíritu!
>
> (EFESIOS 2:20–22)

El estudio de la función, diseño, los servicios, y ceremonias del Templo ayudarán a traer la unidad del Cuerpo del Mesías. La unidad no es algo que podemos lograr en nuestra propia fuerza, pero cuando buscamos *conocerle*, junto al poder de la resurrección de *Yeshúa*, Él se revelará en el lugar de Su Presencia. Ciertamente anhelamos que Él habite en medio de nosotros. Un comentario del *Midrash Tanhuma* incluso sugiere que el aprendizaje del Templo en la Biblia es tan grande como la construcción de ésta, y que los que estudian el Templo — cuando se sumergen en éste, serán recompensados. La recompensa: Él nos dará crédito por construir Su casa.

CAPITULO DOS

CIELO Y MAR

*Tú extiendes los cielos como una cortina, quien cubre
sus cámaras con agua. Haces de las nubes tu carruaje,
y andas sobre las alas del viento. Tú estableciste la
tierra en sus cimientos seguros, para nunca ser movida.
Hiciste que el abismo la cubriera como un vestido;
las aguas estaban sobre las montañas.
(Salmo 104:3, 5, 6)*

*La tierra es de Adonaí, con todo lo que hay en ella,
el mundo y los que en él habitan; 2 porque
Él establece sus fundamentos en los mares
y los afianza sobre los ríos.
(Salmo 24:1,2)*

El mundo mitológico de los dioses y diosas está muy alejado de la vida moderna y secular de hoy. La siguiente ilustración presenta un cuento imaginario de la creación del mundo desde la perspectiva del antiguo dios Sumerio Enki, de las tradiciones y mitos Acadios y Babilonios:

Enki se cruzó de brazos, se sentó en su silla, y se felicitó por un trabajo bien hecho. Su trono era ahora el reconocido centro del universo. El reinar como el rey del cosmos fue la misión que le entregó su padre, Enlil, el soberano de todos los dioses. El padre de Enki lo bendijo con sabiduría, conocimiento y la comprensión de crear el universo, y le encargó gobernar tanto a los cielos arriba y las aguas revueltas abajo.

Enki finalmente había derrotado los poderes del caos: el abismo del agua que se había levantado contra su autoridad. Si el abismo hubiese salido victorioso, hubiera desaparecido toda su casa de la existencia. Los monstruos marinos acechaban las profundidades, esperando su oportunidad para destruir el cosmos. Enki conocía el abismo por su nombre; ella era Tiamat, la diosa principal del mar. Tiamat era famosa por sus incesantes ataques contra los dioses y por traer el caos al expansivo cosmos. Ella se refiere con frecuencia como "la brillante" — porque su piel irradiaba con una belleza radiante y sin igual. En realidad, ella era la diosa encarnada en maldad, caos y desorden. El deseo de Tiamat era destronar el cosmos y sustituirlo con sus propias aguas principales. Si Enki no hubiese intervenido, habría triunfado. Afortunadamente, Enki había entrenado a su hijo, Marduk, para la tarea de desalojar a Tiamat del reino de las aguas frescas de arriba. Tiamat era una con su marido, Apsu, quien era el agua dulce. Una vez que Marduk la capturó, la cortó por la mitad. Él envió a Apsu a los cielos y delegó a Tiamat al inframundo.

Enki saboreó su dulce victoria — especialmente al tributo de los dioses. Las aguas del caos y la conmoción se habían sometido por completo, y el plan de Tiamat para gobernar el cosmos había sido frustrado por completo y de forma permanente. El universo ahora pertenecía exclusivamente a Enki quien era el gran dios del agua y Señor sobre el Abismo. Enki estabilizó el cosmos mediante la colocación de un cerrojo para evitar que las aguas de Tiamat traspasaren más allá de su límite. Para preservar la separación entre Apsu y Tiamat, las aguas frescas de arriba de las aguas salinas abajo, Enki diseñó un disco plano de color tierra que flotaba entre los dos. El disco fue el montículo primordial que pronto se convertiría en la montaña en la que se iba a construir su templo terrenal en Eridu, Mesopotamia. Enki eligió nombrar su nuevo templo Apsu para representar que toda la vida sale de las aguas frescas de arriba.

Con la paz y la tranquilidad firmemente establecidas, Enki comenzó la construcción de su casa exaltada. Eridu, la principal ciudad de Sumeria, estaba situada idealmente (al norte del Golfo Pérsico y ligeramente al suroeste de Ur) en el Río Éufrates. Se conocía como la ciudad del Rey Enki, pues había descendido del cielo para ocupar su trono. A pesar de que su padre, Enlil, fue el diseñador original de la casa, fue Enki quien contrató a los trabajadores humanos para construir sus magníficos jardines, su elevada zigurat, y su residencia real. Las paredes exteriores fueron construidas con ladrillos cocidos al sol de color ébano. Las paredes interiores estaban recubiertas de oro y adornadas con una deslumbrante variedad de gemas coloridas. Grandes cantidades de lapislázuli se utilizaron para cubrir la fachada imponente del templo. Las mismas piedras azules formaban el pavimento debajo del trono de Enki, que fue tallado en madera de cedro, cubierto de oro puro, rodeado por dos águilas majestuosas con alas extendidas. La piscina de agua fresca colocada en la entrada de su templo estaba abastecida con tendales de colores brillantes que representaban el gobierno de Enki.

Con el día de inauguración, o Akitu (el Año Nuevo Babilónico), cercano, Enki recibiría las Tablas de los Destinos en los que se inscribieron palabras de sabiduría y conocimiento del oráculo de su padre. Las tablas se convertirían en la pieza central de su reinado y el modelo de gobierno de su reino. El recinto real de su templo había sido completado, Enki, el dios de la sabiduría, se maravilló de lo que era la representación perfecta de su templo cósmico original completo con sus tres dominios: el cielo, la tierra y el mar.

✡   ✡   ✡

El mundo del *AMO* (Antiguo Medio Oriente) está lleno de historias mitológicas de la creación que son muy similares a la historia de la creación en la Biblia. Estos mitos cósmicos y leyendas eran posibles imitaciones del registro bíblico original. Cosmos, del griego, significa universo o un sistema bien ordenado, y el templo cósmico era el centro del mundo ordenado. El Trono de Di-s, en el centro del universo, era su espacio sagrado. El trono en el interior del Templo representaba al Creador, Dios, que había triunfado y fue entronizado en Su santuario sobre las inundaciones que había sometido (Barker 2010). Éxodo 24:10 describe el trono celestial que descansa sobre un "pavimento de piedras de zafiro tan claro como el mismo cielo", y el profeta Ezequiel (1:26) reafirma que es un "trono similar al zafiro."

> *Techelet* (azul) es el color del mar, que se asemeja al color del cielo, que se asemeja al color de zafiro, que se asemeja al color del Trono de Gloria. El Trono de Gloria no es otra cosa que el mismo templo, ¡el azul es el mismo color del Templo!
>
> (BT *CHULLIN* 89A)

El Reino de Di-s, Su Templo, y el cosmos trajeron estabilidad y una estructura ordenada que por sí Solo gobernaba. El patrón y la construcción de Su templo cósmico fueron diseñados para preservar la santidad de Su espacio. La selección del espacio sagrado se determinó mediante un oráculo divino. Ciertos lugares tenían un estatus especial como portales a través del cual los dioses atravesaban entre el cielo y la tierra.

El *rakiah* (firmamento), creado en el segundo día, fue el portal entre estos dos mundos. Esta fue la creencia judía en el *Olam Hazeh*, "este mundo" o el mundo físico y *Olam Haba* "el mundo por venir" o el mundo fuera del tiempo (representados, respectivamente, por la tierra y el cielo). El firmamento era la cortina, o velo, colocado entre los dos mundos para mantenerlos separados hasta que la creación fuese restaurada. Separaba las aguas masculinas de arriba de las aguas de las aguas femeninas inferiores, que según la tradición, se resistieron primero a Di-s, pero finalmente fueron vencidas.

> En el principio, es decir, antes de la Creación, el mundo era más que agua en el agua. Entonces Di-s separó a los dos tipos de agua una de la otra, confinando la mitad de ellas al firmamento y la mitad de ellas hacia el mar.
>
> (CITADO DE PATAI 1947: 62)

La tierra funcionó de la misma manera que el firmamento; ya que era el portal entre el cielo y el mar. Los antiguos consideraban la tierra como una bandeja plana, en forma de disco flotando en el agua, del cielo arriba y abajo de los mares. En el *AMO*, un dios guerrero — se engrandeció hasta superar los mares. El abismo de agua era una metáfora de los poderes del caos, la destrucción del mundo ordenado, y en última instancia la muerte misma. Esta idea aparece en casi todas las historias de la creación del *AMO*. Una vez derrotado el caos, los dioses del *AMO* construían sus templos terrenales en la primera planta seca que aparecía. La tierra seca se convirtió en el montículo primordial, la plataforma, o incluso una montaña sobre la cual se construía un templo. La Casa de Di-s, por ejemplo, fue erigida en el Monte Moriá en la piedra de fundación (masa seca), creada por el abismo de agua. Los sabios describen este lugar como el eje del mundo del cual toda vida saldría. Debajo del altar habían unos ejes que conducían al abismo sobre el que se colocó la primera piedra (BT *Sukkah* 49a).

De la literatura Apocalíptica del período del Segundo Templo, las imágenes de abismos de agua eran bastante frecuentes. El libro de Revelación, por ejemplo, describe la batalla cósmica que se libra al final de los tiempos (que es comparada a la batalla de Di-s en contra de los mares en la creación). Los mares habían llegado a representar el dominio del enemigo, y la literatura antigua coincide con este pensamiento. En Revelación, vemos que el anti — Cristo se describe como una bestia de siete cabezas, que sale del mar. No sólo es derrotado, pero, al final, el mar ya no es. Para derrotar el dominio del mal, es necesario derrotar las aguas inferiores. "Entonces vi un cielo nuevo y una tierra nueva; pues el cielo viejo y la tierra vieja habían pasado, y el mar ya no estaba allí." (Revelación 21:1).

A lo largo de la Biblia, el dominio de Di-s sobre los mares es un tema dominante. Hay numerosos ejemplos – de la historia de Noé, el cruce del mar de los hijos de Israel, a *Yeshúa* caminando sobre el agua y calmando los mares tormentosos. Una vez que la victoria estaba asegurada, un templo era construido y ceremonias de dedicación seguían. Este es un tema central en la Biblia.

El Mar

> Los fantasmas de los muertos tiemblan debajo del agua, con sus criaturas... Él cubre la vista de su trono extendiendo su nube sobre él. El fijó un círculo en la superficie del agua, definiendo el límite entre la luz y la oscuridad. Los pilares del cielo tiemblan, espantados ante su reprensión. El agita el mar con su poder, y por su destreza golpea a Rahav. Con su Espíritu Él extiende los cielos; su mano atraviesa la serpiente huidiza.
>
> (JOB 26:5,9–13)

En el principio, Di-s habló y el cosmos salió. La oscuridad se cernía sobre la faz de tehom (profundidad), y su Espíritu flotaba sobre la faz de las aguas. Di-s separó y después contuvo las aguas de las profundidades que continuamente se levantaron contra Su autoridad. Debido a que este entendimiento era común entre los antiguos, los mares despertaron un sentimiento de aprensión y miedo en la gente del *AMO*. Misterioso en naturaleza, los mares representaban inestabilidad e impredictibilidad, una fuerza poderosa capaz de destruir todo a su paso. A lo largo de las Escrituras, los mares se hacen referencia como el dominio de las bestias y monstruos que habitan en el *tehom* y traen destrucción sobre la tierra en forma de inundaciones catastróficas y ríos caudalosos. Los mares se convirtieron en el símbolo de todo lo que estaba en rebelión a Di-s. Metafóricamente, los mares deseaban destruir la Casa de Di-s, Sus hijos, y Su Reino.

Según los estudiosos, *tehom* probablemente es el equivalente de la diosa babilónica, Tiamat. Del mismo modo que Tiamat se levantó contra los dioses, *tehom* enfrentó a Di-s por el control del cosmos. Tiamat, en la tradición del mito babilónico, representaba el caos y el desorden. Tiamat fue identificada más tarde como Satanás. El abismo era otro nombre para *tehom*.

> Oh Señor, Todopoderoso Di-s de nuestros padres... que has hecho el cielo y la tierra, con todo el adorno de la misma; que has unido al mar por la palabra de tu mandato; y que guardas la profundidad, y la sellas con tu nombre terrible y glorioso.
>
> (ORACIÓN DE MANASÉS 2–3, RV)

Di-s creó un marcador de límite que el abismo no podía traspasar. Esta barrera fue el firmamento que fue diseñado para proporcionar no sólo la estabilidad sino una base sobre la cual se construyó la cósmica Casa de Di-s. Se pensaba que los templos representaban el conjunto de expansión en los mares de la que surgió la creación (Barker 2008: 65).

"¿Dónde estabas tú cuando Yo establecí la tierra? Dime, si sabes tanto. ¿Sabes tú quién determinó sus dimensiones o quien extendió el cordel de medir sobre ella? ¿Sobre qué fueron fundados sus cimientos, o quien puso su piedra angular... "'¿Quién encerró el mar tras puertas cerradas cuando se derramaba a chorros de su vientre, cuando Yo hice las nubes su cobija y niebla densa sus pañales, cuando Yo hice la ola que rompe su límite, puse sus puertas y barrotes, y dije: 'Hasta aquí llegarás, pero no más lejos, aquí tienen que parar tus olas orgullosas.'?

(JOB 38.4–6,8–11)

Repleto de grandes monstruos marinos, los mares existían fuera de los límites de los "atrios" del cielo y la tierra. De la misma manera, los animales salvajes y bestias habitaban el dominio fuera del Tabernáculo en el desierto, y eran una amenaza para cualquier persona que dejaba la seguridad del campamento. La Biblia está llena de este tipo de imágenes. Leviatán, la serpiente, el gigante, y el dragón, todos tienen su lugar en la mitología (Ezequiel 29:3; Job 40:25). Según el Talmud, el *livyatan* (Leviatán) era un animal acuático gigante, creado en el quinto día de la creación, y fue el gobernador de todas las criaturas del mar. El gigante era un toro gigantesco creado en el sexto día; como el *livyatan*, que también poseía una enorme fuerza (*The Complete Artscroll Siddur* 1985: 765)."En aquel día *Adonai*, con su espada grande, fuerte e implacable castigará a *Livyatan* la serpiente huidiza, *Livyatan* la serpiente que tuerce"(Isaías 27:1).

Elohim ha sido mi Rey desde los tiempos antiguos, Él ha traído salvación en el medio de la tierra. En tu poder estableciste el mar, en el agua destrozaste las cabezas de los monstruos marinos, aplastaste la cabeza del Livyantan y se la diste por alimento a las criaturas del desierto...

(SALMO 74:12–14)

Estas criaturas eran sinónimo de las cuatro grandes bestias que subieron del mar en el libro de Daniel (7:2–7). Ellos representaban los cuatro imperios gentiles que oprimieron y persiguieron a Israel a través de su historia. Con el tiempo, los mares llegaron a representar los *goyim* (naciones) o los enemigos de Di-s. En Apocalipsis (13:1), Juan ve una bestia que sale del mar con diez cuernos y siete cabezas. Literatura extra bíblica sugiere que la bestia era el gobernante de estos imperios gentiles (Roma en Revelación).

> Tú controlas el rugir de los mares; cuando sus olas se levantan, Tú las sosiegas. Tú machacaste a Rajav como un cadáver; con tu brazo fuerte dispersaste a tus enemigos.
>
> (SALMO 89:9,10)

> … ¡Despierta, como en los días de antaño como en generaciones antiguas! ¿No fue tu brazo el que quebrantó a Rahav en pedazos, Tú quien atravesó al monstruo marino? 10 ¿No fuiste Tú quien secó el mar aun la abundancia del gran abismo; Tú, él que hizo del fondo del mar un camino, para que cruzaran los liberados y redimidos?
>
> (ISAÍAS 51:9B–10)

Una leyenda del Talmud de Babilonia explica cómo el rey David sometió a las aguas subterráneas antes de construir el Templo. David quería construir el Templo del Señor en suelo puro y virgen — tierra que aún no había sido perturbada por la mano del hombre. Sin embargo, una vez que él había excavado a una profundidad de mil quinientos codos, se encontró con un tiesto y concluyó que alguien ya había estado allí. Mientras excavaba los *shitin* (ejes) debajo del Templo, la Profundidad se levantó y amenazó con sumergir el mundo entero. Fue entonces cuando David inscribió el nombre de Di-s en un poste y lo echó en la Profundidad para que las olas se calmaran. La Profundidad obedeció y se calmó a una gran profundidad de dieciséis mil codos.

El Rey David a continuación, compuso quince canciones (Salmos 120–134), y la Profundidad subió quince mil codos (BT *Sukkah* 53a, b). Por lo tanto, la autoridad del rey David sobre la Profundidad estaba intrínsecamente ligada a las Quince Canciones de Ascenso cantadas en el Templo — canciones que tenían significado mitológico relacionado con eventos primitivos. Los estudiosos conectaron estas canciones a varias otras leyendas sobre el diluvio y mitos de la creación (Patai 1947). En memoria de la creación, estas canciones con el tiempo se convirtieron en una parte integral de la liturgia del Templo, incluyendo la liturgia de la ceremonia de Libación del Agua en *Sukkot* — un ritual de la creación renovada.

La Canción del Mar (Éxodo 15) relata la liberación de Israel del Faraón y el ejército egipcio. En un rollo de la Torá, las palabras de la canción se estructuran en un patrón de bloques — para parecerse a las paredes de una casa. Cuando el mar "se abrió", una pared de agua se levantó a cada lado; apareció la tierra seca, tal como lo hizo en el tercer día de la creación, cuando los mares estaban reunidos en un solo lugar. En la creación, la tierra seca fue la plataforma / montículo que se convirtió en la base para un templo. Al Israel "caminar" en tierra seca representó una casa construida sobre las aguas del caos. Por el contrario, el faraón, sus carros y su ejército se ahogaron en el mar; las aguas *tehom* se cerraron ante ellos, y se hundieron como piedras de molino. Basado en este evento, el faraón llegó a representar la imagen de un animal en el mar — la gran serpiente que sale de en medio del mar la cual Di-s con el tiempo lanzará al desierto (Ezequiel 29:3,5).

La construcción de templos y la actividad dedicación siguieron el triunfo de Israel sobre los mares: "Este es mi Dios y yo le construiré un Santuario" (Éxodo 15:2).

Tú los traerás y los plantarás en la montaña que es tu herencia, el lugar que Tú hiciste tu morada, el Lugar Santo, que Tus manos establecieron.

(ÉXODO 15:17)

Di-s de hecho estaba ansioso por tener un santuario erigido a Él, fue la condición por la que los sacó de Egipto, sí, en cierto sentido, la existencia de todo el mundo dependía de la construcción del santuario, para cuando el santuario fuera erigido, el mundo se mantendría firmemente fundado.

(L. GINZBERG LEGENDS OF THE JEWS VOL. 3: 150)

Este patrón se repite en toda la Biblia. Al final de la historia, cuando se sometan las aguas del abismo, se establecerá un descanso permanente. Su Casa — Su creación — será restaurada por completo.

Yo vi lo que lucía como un mar de cristal mezclado con fuego. Aquellos que fueron victoriosos sobre la bestia, su imagen y el número de su nombre estaban parados al pie del mar de cristal, sosteniendo arpas que Di-s les había dado. Ellos cantaban la canción de Moisés, el siervo de Di-s, y la canción del Cordero.

(REVELACIÓN 15:2-3)

Desde una perspectiva del *AMO*, el hecho de que Moisés vino flotando en el río Nilo en una arquilla era símbolo de su dominio sobre las aguas de las profundidades. La hija del faraón, reconoció a Moisés como un "dios" que había derrotado a los mares, por lo que lo rescató y lo levantó para gobernar Egipto. Cuando *Yeshúa* calmó los mares enfurecidos desde dentro de la barca, él estaba dominando las aguas del caos. La barca era una metáfora para el Templo, un lugar de seguridad y estabilidad (Marcos 4:35 — 41). Cuando caminó sobre las aguas en mares turbulentos, él estaba dominando al abismo y haciéndose pasar por un Templo para el Dios viviente.

Y aconteció que al cabo de siete días, tuve un sueño en la noche... se levantó un viento violento del mar, agitando todas sus olas. Y miré, y he aquí, (el viento provocado que salía del corazón de los mares era como si fuera la forma de un hombre. Y miré, y he aquí!) Este hombre volando en las nubes del cielo... y la voz salió de su boca, todo lo que oyó su voz se desvaneció, como la cera se derrite cuando siente fuego.

(4 ESDRAS 13,1–4)

En las interpretaciones de este sueño, el Mesías es el Hombre que sale del mar. Sus enemigos son las naciones del mundo, y su aniquilación final proviene del fuego de la Torá. Tal vez este sueño también alude a *Yeshúa* derrotando la muerte cuando se levantó de las profundidades del Sheol —lugar de la profundidad.

La historia de Jonás ilustra un tema similar. Jonás fue vomitado a tierra seca después de tres días y noches en el vientre del pez. Al negarse a ir a Nínive, pues había zarpado rumbo a Társis — en dirección opuesta. Un fuerte viento sobre mares tormentosos amenazó con romper la nave. Los marineros echaron suertes, y se determinó que Jonás era el responsable de la calamidad. El respondió: "Soy hebreo y temo Adonaí, el Dios de los cielos, que hizo el mar y la tierra seca" (Jonás 1:9). Jonás pidió ser arrojado por la borda para apaciguar los mares enfurecidos, y así fue tragado por el gran monstruo marino, leviatán. En la oración de Jonás por la liberación de las aguas del abismo, expresa su deseo de estar en el Templo de Di-s:

"Desde mi aflicción clamé a Adonaí, y Él me respondió, desde el vientre del Sheol yo clamé, y Tú oíste mi voz. Pues Tú me echaste a lo profundo, en el corazón de los mares;

y la inundación me rodeó; todas las olas agitadas pasaron sobre mí. Yo dije: 'He sido echado de Tu presencia.' Pero ¿miraré yo de nuevo a tu Santo Templo? El agua me rodeaba, amenazando mi alma; la profundidad se cerró sobre mí, las algas se enredaron en mi cabeza Descendí a los cimientos de las montañas, a una tierra cuyos barrotes me encerrarían para siempre; ¡O Adonaí, mi *Elohim*, deja que mi vida arruinada sea restaurada! Mientras mi alma se desvanecía, yo me recordé de Adonaí; y que mi oración llegue a ti a Tu Santo Templo.

(JONÁS 2:2–7)

En el libro de Revelación, es la "tierra" quien viene al rescate de la mujer vestida de sol que ha dado a luz al hijo varón. A ella se le da alas de águila para volar a un lugar en el desierto, y el dragón la persigue en forma de inundación. La mujer probablemente representa el Templo puro, no contaminado que la comunidad de Cumrán del primer siglo anhelaba y la razón por la que se establecieron en el desierto junto al Mar Muerto.

La serpiente vomitó de su boca agua como un río, para alcanzar a la mujer y arrastrarla con la inundación; pero la tierra vino a su socorro; abrió su boca y se tragó el río que el dragón había vomitado de su boca.

(REVELACIÓN 12:15,16)

La historia de Noé y el diluvio, el tema principal en *el Templo Revelado en los Días de Noé, Volumen III*, capta perfectamente el triunfo de Di-s sobre Sus enemigos, los mares. Como es típico del patrón, este evento es acompañado por la construcción de templos y su actividad de dedicación. El objetivo principal del arca era preservar la semilla y proteger a las generaciones futuras del mal y de la maldad del mundo. Cuando las fuentes de *tehom* "se dividieron", la barrera ya no podía contener a los torrentes de agua que inundaron la tierra. Con el tiempo, se envió un Espíritu a que flotara sobre la tierra haciendo que las aguas rescindieran permitiendo al arca "descansar" en una montaña. Los creyentes del primer siglo probablemente entiendan el significado de estas representaciones pictóricas, y esperaban "el día" cuando *Yeshúa* vuelva a juzgar a los enemigos de Di-s, y restaure la creación.

> El templo a menudo se asocia con las aguas de vida, que fluyen de un manantial dentro del mismo edificio, o más bien el Templo es visto incorporado dentro de sí con un manantial o construido sobre un manantial. La razón por la cual existían tales manantiales en los templos es que eran vistos como aguas primordiales de la creación... El Templo en tanto se funda y está en contacto con las aguas de la creación. Estas aguas llevan el doble simbolismo de las aguas caóticas que se organizaron durante la creación y las de vida salvan a la naturaleza de las aguas de vida.
>
> (LUNDQUIST, 1984: 57)

Cielo y Tierra

> *La voz de Adonaí está sobre las aguas; el Dios de Gloria truena, Adonaí está sobre muchas aguas... La voz de Adonaí divide las llamas de fuego... ¡Adonaí está sentado sobre el diluvio! ¡Adonaí se sentara como Rey por siempre!*
>
> (SALMO 29:3, 7,10)

Los primeros capítulos del libro de los Hechos tienen lugar en los atrios del Templo de Jerusalén en el primer siglo. Este relato ficticio crea una historia de fondo para la celebración de *Shavuot* (Pentecostés) en el recinto del Templo y la sanidad del paralítico que estaba sentado en la Puerta la Hermosa pidiendo limosnas durante la festividad:

Un sonido profundo repercutió por todo el recinto del Templo. Las ofrendas *Shacharit* (de la mañana) para *Shavuot*

(Pentecostés, Fiesta de las Semanas) habían concluido, y el aroma inconfundible de los holocaustos se olía en el aire. A medida que se intensificó el sonido poco familiar, la multitud de fieles iba en aumento y se empuñaron fuertemente hasta llenar el Atrio de las Mujeres. Las personas vieron con gran asombro como lenguas de fuego ardiente se envolvieron alrededor del atrio y luego se posaron sobre los que siguieron al Nazareno. La vista pública del fuego les recordó a muchos el día histórico en la historia de Israel, a los pies del Monte Sinaí, cuando se reunieron para recibir los mandamientos. En ese día, Di-s había descendido en un horno de humo de fuego encima de la montaña — Su Santo de los Santos — la casa de las lenguas de fuego.

El primer mandamiento, cuando salió de la boca del Santo… como meteoritos y rayos y como antorchas de fuego; una antorcha de fuego a su derecha y una antorcha de fuego a su izquierda, que estalló y voló en el aire de la expansión del cielo; y procedió a dar vueltas alrededor del campamento de Israel.

(FRAGMENTO TÁRGUM DE ÉXODO 20:2 DE CAIRO GENIZA)

Hoy en día los fieles estaban anonadados por esta ardiente manifestación de la Presencia Divina. En su primer *Shavuot*, toda la comunidad, oyeron Su Voz de trueno, al recibir la Torá de Moisés. En el Sinaí, vieron Su Palabra como un fuego ardiente que salió de un Trono de Gloria en la montaña. Según Rabí *Yochanan*, era como si Di-s hubiese hablado cada mandamiento en setenta idiomas, todos a la vez:

Cuando la voz de Di-s parlamentó en el Monte Sinaí, se dividió en setenta idiomas humanos, para que todo el mundo pudiese entenderlo. Todos en el Monte Sinaí, jóvenes (hombres) y ancianos, mujeres, niños, y bebés oyeron la Voz de Di-s en función de su capacidad de comprensión.

(ÉXODO RABBAH 5:9)

Los que se reunieron en el Atrio de Israel se prepararon para la ofrenda especial de *Shavuot: Shtei HaLechem*. Dos hogazas de pan de trigo leudado mecidas por los *kohanim* (sacerdotes) delante del altar. De las primicias de sus cosechas de primavera, las familias también traían cestas llenas de las siete especies de la tierra (trigo, cebada, granadas, higos, dátiles, aceitunas y uvas). A medida que entregaban sus ofrendas a los sacerdotes, tomaban un momento para apreciar la generosidad que Di-s les había provisto. Recordaron su historia de cómo sus antepasados habían comido *matzah* (pan sin levadura) en la primera Pascua en Egipto. Recordaron cómo Israel había quedado atrapado entre el ejército del faraón y el mar y cómo Di-s había enterrado al faraón en *tehom* (profundidad). El mar se había dividido milagrosamente, como un telón, y el pueblo de Di-s caminó por tierra seca. Se acordaron de que siete semanas más tarde, en *Shavuot*, Israel había recibido las *Luchot HaEven* (Tablas de Piedra) — esculpidas en piedra de zafiro debajo del Trono de la Gloria de Di-s.

Cuando las ceremonias de la mañana habían terminado, los fieles corrían a las casas de sus familiares y amigos que vivían en Jerusalén. Se ponían al día con las últimas noticias y disfrutaban de una comida fresca juntos antes de pasear por los callejones y pasadizos de la ciudad. No había mucho tiempo, sin embargo, las ofrendas *Minchah* (por la tarde) pronto comenzarían en el Templo.

Pedro y Juan hicieron su recorrido a través de la multitud y regresaron a las escaleras del sur del Templo. Allí reconocieron a un hombre lisiado a quien habían visto en ocasiones anteriores. Se sentaba con sus manos extendidas, pidiendo limosna. El pedir limosnas era particularmente lucrativo en la época de las fiestas debido a la gran cantidad de peregrinos que venían a adorar al Templo. Pedro y Juan le confesaron que no tenían oro ni plata para darle; pero, le dijeron que podían ofrecerle sanidad en el nombre de su maestro, *Yeshúa* el Mesías. Pedro extendió su mano y levantó al hombre en sus pies. De repente, a pesar de que había estado paralizado desde su nacimiento, los tobillos del hombre se fortalecieron y se enderezó. Se puso de pie con su propia fuerza, y empezó a caminar y saltar alabando a Di-s. Pedro le invitó al Atrio de las Mujeres, un lugar que, debido a su enfermedad, el hombre nunca había visto. Al atravesar el sendero subterráneo de la Puerta Doble, el hombre se maravilló de las cúpulas bellamente talladas en el techo. Estaba hipnotizado por los diseños florales y geométricos intrincados y por los patrones de vid, hojas, y racimos de uvas. Era realmente una vista impresionante. Al acercarse al Atrio, él se quedó sin aliento en las columnas herodianas — inmensas en tamaño que formaban parte del *stoa* (pórtico cubierto) – al este del Atrio de las Mujeres.

La noticia de la sanidad del paralitico llegó a oídos del liderazgo del Templo que, en respuesta, enviaron los guardias para arrestar a Pedro y a Juan — ¡pero no antes de que más de cinco mil personas oyeran el mensaje y creído en *Yeshúa* el Mesías! Al día siguiente, el par de reos fueron llevados ante el "padrino" de Jerusalén: el Sumo Sacerdote. En lugar de ensalzar la sanidad milagrosa, el sacerdote exigió saber con qué poder Pedro había sanado al paralítico. Pedro, lleno del *Ruaj* (Espíritu) — la sabiduría de Di-s, habló elocuentemente de cómo *Yeshúa*, a quien el liderazgo había ejecutado como un criminal, se había levantado de entre los muertos y se convirtió en la verdadera piedra angular del Templo. Era incomprensible para estos líderes cómo un inexperto e inepto pescador, podía hablar con tanta sabiduría. Les exigieron a Pedro y Juan que no hablasen más de *Yeshúa* el Mesías, y ambos hombres fueron puestos en libertad para reunirse con sus amigos en la ciudad. Cuando sus amigos escucharon el informe, "levantaron sus voces a Di-s con sencillez de corazón" (Hechos 4:24).

"Amo, Tú hiciste el cielo, la tierra, el mar y todo lo que en ellos hay. Por el *Ruaj HaKodesh*, por medio de la boca de nuestro padre David tu siervo, dijiste: '¿Por qué las naciones se violentaron, y los pueblos inventan planes inservibles? Los reyes de la tierra tomaron sus posiciones; y los gobernantes se unen en asamblea contra YAHWEH, y contra su Mesías.

(HECHOS 4:24ª–26)

✡   ✡   ✡

Las tres esferas cósmicas — cielo, tierra y mar, fueron el modelo para el Templo y el Tabernáculo en la tierra. Los mares estaban representados por los atrios exteriores, la tierra por el atrio interior, y los cielos por la cámara interior: el Santo de los Santos. Según el Rabino Pinhas *Ben* Yair:

> El Tabernáculo fue hecho para corresponder a la Creación del mundo... el cielo, la tierra y el mar son casas con ejes. La casa del Santo de los Santos se hizo para corresponder al cielo más alto. El exterior de la Casa Santa se hizo para corresponder a la tierra. Y el atrio se hizo para corresponder al mar... el lavatorio se hizo para corresponder al mar.

(CITADO EN PATAI 1947: 108)

El viaje físico de Israel desde Egipto en la Pascua a los pies del Monte Sinaí en *Shavuot* (Fiesta de las Semanas) simbolizó su camino espiritual. Egipto, el punto de partida, significó el inframundo (*tehom*) — marcado por su panteón de dioses. Los mares, que atravesaron, representaron los atrios exteriores. El desierto, hogar temporal de Israel en la tierra, simbolizó los atrios interiores, y la cima de la montaña en el Sinaí fue el Santo de los Santos.

Cuando la nación redimida finalmente llegó a los pies de la montaña, era como si estuvieran preparados para entrar en la "eternidad". La peregrinación de siete semanas les tomó de bajos niveles de santidad espiritual, en el exilio en Egipto, a niveles más altos, en la montaña, donde se convirtieron en un reino de sacerdotes.

Cuando Moisés diversificó el Tabernáculo en tres partes, cedió dos de ellas a los sacerdotes, como un lugar accesible y común, denotó a la tierra y el mar, que son lugares de acceso general a todos; pero él apartó la tercera división para Di-s, porque el cielo es inaccesible a los hombres.

(JOSEFO ANTIGÜEDADES DE LOS JUDIOS 3.181)

Shavuot viene del hebreo sheva que significa siete. Una shavua es de siete días (una semana), por lo que *Shavuot* es la forma plural de semanas. El lenguaje de construcción y dedicación de templos se expresa siempre a través de "sietes" en la Biblia (también una práctica común en el mundo del *AMO*). El *Shabbat*, el séptimo día, proviene de la misma raíz.

"Recuerda el día *Shabbat*, para apartarlo para Di-s. Tienes seis días para laborar y hacer todo tu trabajo, pero el séptimo día es *Shabbat* para Adonaí tu Di-s…Porque en seis días Adonaí hizo el cielo y la tierra, el mar y todo en ellos; pero en el séptimo día El descansó. Por esta razón Adonaí bendijo el día, *Shabbat*, y lo apartó para Él mismo.

(ÉXODO 20:8–10A, 11)

Reposo figuró un templo construido, lleno de todos los utensilios y muebles adecuados, y listo para realizar sus servicios. El descanso también indicó que las aguas revueltas del caos se habían sometido y todos los enemigos de Di-s fueron destruidos. El propósito y la función de la Casa ahora podrían realizarse plenamente, es decir, ser fructíferos, multiplicarse y llenar la tierra.

El Templo y su mobiliario poseían simbolismo cósmico. Tales características fueron diseñadas para subrayar el poder divino sobre el orden creado y establecer el Templo como una fuente de bendición para la tierra y el pueblo de Israel. La idea subyacente era que el Templo era un microcosmos del macrocosmos para que el edificio diera una expresión visual a la creencia en el dominio de Yahweh sobre el mundo... así el edificio del Templo representó la regla cósmica de Di-s quien era adorado allí.

(R.E. CLEMENTS, 1965: 67)

Pedro y Juan en la historia de Hechos (3:1–4:26) se refiere a la liturgia de oración del Templo que dice que Di-s hizo el cielo, la tierra, el mar, y todo lo que "llena" estos tres dominios (Salmo 146:6). El salmista describe los actos poderosos de Di-s: justicia para los oprimidos, libertad a los cautivos, vista a los ciegos, y el levantamiento de los menos afortunados. "En el Cenit del universo es su morada, el derecho y la justicia se extienden hasta los confines de la tierra" (de las bendiciones del *Shemá*). Los devotos que se habían reunido en el Templo ese día, sin duda, entendieron el dominio de Di-s sobre el cosmos y sobre los miserables dioses de este mundo.

> Tú eres Adonaí, solo Tú. Tú hiciste el cielo, el cielo de cielos, con toda su formación, la tierra y todas las cosas que hay en ella, los mares y todo lo que en ellos hay, y Tú lo preservas todo. El ejército del cielo te alaba.

(NEHEMÍAS 9:6)

Una historia similar se registra en (Hechos 14) de un hombre cojo de nacimiento, que vivía en Listra, quien respondió a las Buenas Nuevas del Reino. Al escuchar la Palabra compartida por el Apóstol Pablo, el hombre se levantó y comenzó a caminar. La multitud aturdida comparó a Pablo y Bernabé a sus propios dioses, Zeus y Hermes, y procedieron llevarles ofrendas en su honor. Pablo le advirtió a la multitud a que se volvieran de estas cosas sin valor y sirvieran al "Di-s vivo, que hizo el cielo, la tierra, el mar y todo lo que en ellos hay."

El libro de Revelación se refiere al pasaje de Éxodo (20:11), haciendo hincapié en que es el único Di-s quien tiene dominio sobre todos los tres reinos del cosmos: el cielo, la tierra y el mar. En Su Templo cósmico, el mundo fuera del tiempo, todos Sus enemigos son destruidos. Su casa y Su trono son establecidos, y Él ha llenado Su casa de toda cosa buena: justicia, equidad, misericordia y verdad.

> Entonces al ángel que vi parado sobre el mar y sobre la tierra alzando su mano derecha hacia el cielo, juró por El que vive por siempre y para siempre, quién creó el cielo y lo que en él hay, la tierra y lo que en ella hay, el mar y lo que en él hay.
>
> (REVELACIÓN 10:5, 6A)

El Firmamento

> *¡Aleluya! ¡Alaben a Di-s en su Lugar Santo! ¡Alábenle en la bóveda celestial de su poder! ¡Alábenle por sus obras poderosas! ¡Alábenle por su grandeza inmensa!*
>
> (SALMO 150:1,2)

En el segundo día de la creación, Di-s colocó un *rakiah* (firmamento) en los cielos para separar las aguas de arriba de las aguas de abajo. La separación es el concepto Hebreo de *kedushá* o santidad (véase el capítulo 3): al ser apartado con restricciones aplicadas. *Kedushá* es también un término para el proceso de creación donde dos cosas (masculinas y femeninas) están apartadas para una función y propósito específico: producir nueva vida.

El *Ramban* (Najmánides, nacido en España en 1194 EC) sugirió que *rakiah* fue uno de los grandes misterios de la creación. Él lo explicó como una separación espiritual entre dos mundos: el físico (este mundo) y el eterno (el mundo por venir). Philo se refiere al firmamento como el límite entre las creaciones visibles e invisibles. El *rakiah*, lo que significa martillar, aplanar, o expandir, era la vasta extensión sobre la tierra que refleja el azul de las aguas de arriba. "Te has vestido con alabanza y honor, envuelto en un manto de luz. Tú extiendes los cielos como una cortina"(Salmo 104:1, 2 Artscroll Siddur).

La cortina delante del Santo de los Santos representó el firmamento, el lugar donde los dos mundos se convertirían en uno. Tras el velo, el Santo de los Santos simbolizó el mundo eterno.

> Cuando el firmamento fue creado en el segundo día para dividir las aguas, que estaban debajo de la expansión, de las aguas que estaban arriba, así había una cortina en el Tabernáculo para dividir lo santo de lo santísimo.
>
> (L. GINZBERG *LEGENDS OF THE JEWS* VOL. 3: 150)

El firmamento se creó para proporcionar estabilidad y orden en el universo —función principal de un templo. "El Templo, el lugar del trono de Di-s, estaba en medio de los mares y representó el firmamento que el Creador había establecido y continuó manteniendo a su pueblo" (Barker 2008: 67). El *rakiah* se pensó que era para preservar el orden creado y proteger al mundo de *tehom* (profundidad) o el abismo.

> Yo hice la costa el límite para el mar; por decreto eterno no puede pasar. Sus olas pueden revolverse, pero no prevalecerán; aunque rujan, no pueden cruzarlo.
>
> (JEREMÍAS 5:22B)

Los primeros escritores cristianos vieron las particiones del Tabernáculo como la división del universo con su mundo superior e inferior y un firmamento en el medio:

> Puesto que se le había mostrado cómo Di-s hizo el cielo y la tierra y cómo en el segundo día hizo el firmamento en

medio entre ellos y cómo hizo el único lugar en dos lugares, así Moisés de igual manera de acuerdo con el diseño que había visto del Tabernáculo en dos: uno interno y externo.

(COSMAS INDICOPLEUTUS *CHRISTIAN TOPOGRAPHY* 2.35)

Jerusalén era el punto en el que el mundo eterno y el mundo natural se convergieron. La expresión en la tierra como en el cielo significaba que el templo terrenal, con sus servicios y ceremonias, fue modelado después del celestial. Los sacerdotes que servían en el Templo en la tierra eran equivalentes a los ángeles que sirven en el Templo celestial. Esta es una clave importante para desbloquear el libro de Revelación y para entender mucho de lo que *Yeshúa* enseñó acerca del Reino.

El profeta Ezequiel recibió una visión del Templo de la creación desde el punto de vista del Santo de los Santos. Su mensaje profético fue dado para darle esperanza a los exiliados en Babilonia — la Casa de Di-s será restaurada. Ezequiel lamentó la pérdida de la Presencia Divina del Primer Templo ya que también lloraba la pérdida de su propia amada esposa. Vio el Templo de Di-s como una novia y una esposa — un entendimiento común en el mundo antiguo. Parte del lenguaje en el libro de Ezequiel es muy críptico y muy difícil de entender. El capítulo uno, por ejemplo, alude a *Ma'aseh Merkavah*, las "funciones del carruaje." Esta es una visión única en el mundo eterno del Santo de los Santos, con su carruaje real sobre el pavimento de piedra de zafiro.

Encima de la rakiah... había algo como un trono que lucía como un zafiro. Sobre él, encima de él, había lo que parecía una persona. Yo vi lo que lucía como un fuego color ámbar reluciente chashmal (un tipo de ángel), radiando de lo que parecía ser su cintura hacia arriba...vi lo que parecía ser fuego, dando luz brillante todo a su alrededor.

(EZEQUIEL 1:26–27 ARTSCROLL ED STONE).

Moisés salió de los cielos con las dos tablas en las que se grabaron los diez mandamientos y estaban hechas de piedra similar al zafiro.

(L. GINZBERG *LEGENDS OF THE JEWS* VOL. 3: 118)

El zafiro que se utilizó para las tablas, fue tomado del Trono de Gloria.

(VOL. 6:49)

Solamente el sumo sacerdote podía transitar más allá del velo para entrar en el Santo de los Santos, y esto sólo podría hacerse en un día cada año: *Yom Kippur* (Día de Expiación). El velo (Éxodo 26:33) que separaba el Lugar Santo del Lugar Santísimo fue tejido con los mismos colores que las vestiduras del sumo sacerdote: azul, escarlata, púrpura y lino (2 Crónicas 3:14). Clemente de Alejandría sugirió "púrpura para el agua, lino para la tierra; azul, siendo oscuro, es como el aire, y escarlata es como el fuego".

Ahora la vestidura del sumo sacerdote hecha de lino representó la tierra; el azul al cielo... También asignó el pectoral ser colocado en el medio del efod, para parecerse a la tierra, porque es el mismo centro del mundo. Y el cinturón, que estaba alrededor del sumo sacerdote, representó el océano que va alrededor e incluye el universo.

(JOSEFO *ANTIGÜEDADES DE LOS JUDÍOS* 3.184–185)

La Sabiduría del Eclesiástico (Shirach) se refiere al Templo como la Casa del velo (50:5,11). Según Josefo, el velo, lo que representa el cosmos, fue bordado ornamentadamente con una imagen panorámica de los cielos:

Pero antes de estas puertas, había un velo de igual amplitud con las puertas. Era una cortina babilónica, bordada en azul, de lino fino, de escarlata y púrpura, de una contextura que era verdaderamente maravillosa. No estaba esta mezcla de colores sin su interpretación mística, sino que era una especie de imagen del universo; por el color escarlata que parecía haber representado enigmáticamente el fuego, por el lino fino a la tierra, por el azul al aire, y por el color púrpura al mar; dos de ellas con sus colores el fundamento de esta semejanza ... En esta cortina también se habían bordado todo lo que era místico en los cielos, a excepción de los [doce] signos, que representan a criaturas vivientes.

(JOSEFO *LA GUERRA DE LOS JUDÍOS* 5.212–213)

... Pero luego se extienden por el Tabernáculo los velos de lino y púrpura, azul, y colores escarlata bordados... Este velo era muy ornamental, y bordado con todo tipo de flores que produce la tierra; y se entretejió en él todo tipo de variedad que pudiera ser un ornamento, con excepción de las formas de animales.

(JOSEFO *ANTIGÜEDADES DE LOS JUDÍOS* 3.124,126)

El libro de Revelación expone una imagen gráfica del Segundo Templo profanado, personificado por la gran ramera sentada sobre la bestia y vestida de púrpura y escarlata. La bestia con siete cabezas y diez cuernos representa a gobernantes extranjeros que controlaban muchas funciones administrativas en el Templo. Esta "alianza" causó que el Templo y el sacerdocio se impurificaran y se corrompieran; como resultado, el Templo y la ciudad de Jerusalén fueron destruidos por Roma en el año 70 EC. Este simbolismo se aplicó finalmente a la ciudad de Roma:

Ven, y te mostraré el juicio contra la gran ramera que está sentada sobre muchas aguas. Él me llevó en el Espíritu a un desierto, y vi una mujer sentada sobre una bestia escarlata llena de nombres blasfemos, que tenía siete cabezas y diez cuernos. La mujer estaba vestida de púrpura y escarlata, y brillaba con oro, piedras preciosas y perlas.

(REVELACIÓN 17:1B, 3,4A)

El Libro Hebreo de Enoc (3 Enoc es un texto del siglo quinto EC que se le atribuye al Rabino Ishmael quien murió antes de la revuelta de *Bar* Kokhba en el 132 EC) explica cómo el velo divide este mundo del mundo más allá del tiempo. El escritor tuvo una visión desde la perspectiva del Santo de los Santos mirando a través del velo hacia la tierra. El velo, dijo el, ofrece una visión del futuro desde la perspectiva de la eternidad; que representa toda la historia vista simultáneamente. R. Ishmael vio el curso de la historia humana, desde Adán hasta la Era Mesiánica, bordado en la cortina. "Ven y te mostraré la cortina... que se extiende ante el Santo en la cual están inscritas todas las generaciones del mundo con todas sus obras" (45:1). Daniel, Ezequiel, Zacarías, Moisés y Juan se les dieron a cada uno visiones similares desde el interior del Santo de los Santos: el mundo fuera del tiempo.

El velo guarda los misterios de la deidad donde sólo se le permite entrar al Príncipe de la Presencia Divina. *Yeshúa*, al traspasar el velo del Templo, se trasladó más allá de la barrera del firmamento para introducirse de forma permanente el Santo de los Santos en el cielo:

En este momento, el parokhet (el velo) en el Templo fue rasgado en dos, de arriba abajo; y hubo un terremoto, y las rocas se partieron.

(MATEO 27:51)

Él salió de "este mundo", y entró al "mundo venidero" con el fin de sentarse a la diestra de Di-s como el Príncipe de la Presencia y Sumo Sacerdote de los cielos. La comprensión de la naturaleza de los dos mundos reduce algo de la confusión que rodea el libro de Hebreos. El convenio mayor es el "pacto de la creación" restaurado sobre el cual *Yeshúa* el Mesías sirve como mediador. Él es el Sumo Sacerdote del Templo cósmico que intercede por nosotros.

> Porque ya que tenemos un gran Kohen Gadol [Sumo Sacerdote] que ha subido atravesando hasta el más alto cielo, *Yeshúa* el Hijo de Di-s, sujetémonos firmemente a lo que reconocemos como verdadero. De modo que acerquémonos confiadamente al trono del cual nos imparte favor, para que podamos recibir misericordia y encontrar favor en nuestro tiempo de necesidad.
>
> (HEBREOS 4:14,16)

El velo está dividido, y el camino está abierto, pero no podemos entrar físicamente a esa atmósfera. Es el papel del Espíritu Santo atravesar el portal entre el cielo y la tierra para darnos acceso al trono. Esto es sólo posible, sin embargo, cuando confesamos, nos arrepentimos y nos volvemos de nuestros pecados.

Venciendo el Diluvio

> *Porque* a Su Palabra se levanta el viento tempestuoso, que causa un gran oleaje, los marineros suben hasta los cielos, y entonces descienden hasta los abismos. Sus almas se derriten por la aflicción, En su aflicción claman a Adonaí, y Él los rescata de su desgracia. Él ordena a la tempestad, y se calma a una brisa suave. Y se regocijan cuando el mar se calma. Entonces los trae con seguridad a su puerto deseado.
>
> (SALMO 107:25, 26,28–30)

¿Qué hacemos cuando el enemigo viene como un diluvio? Las tormentas de la vida están en su apogeo cada vez con mayor intensidad. Somos amenazados con una oleada tras otra de angustia e incertidumbre. El mundo está lleno de angustia y dolor incalculable. Las obras de la carne siguen destruyendo el género mismo de la sociedad. Algunos han dejado su primer amor y corren tras los dioses de este mundo. A menudo se siente como si el enemigo tuviera control total, mientras que el pueblo de Di-s está derrumbado. Muchos temen que Di-s ha eliminado su cobertura protectora y ahora toda la furia de las aguas inciertas se ha desatado. Algunos se ahogan en la ansiedad, preocupación, duda, miedo — agotados de batallar devastando incluso a las familias más fuertes. Otros simplemente han perdido la esperanza.

Con el fin de reconstruir la casa, el enemigo primero debe ser derrotado. La batalla real tiene lugar en la mente, y es ahí donde nuestra lucha debe empezar. Esto requiere que sometamos "cautivo todo pensamiento a la obediencia al Mesías" (2 Corintios 10:4). Pablo nos recuerda a no conformarnos al pensamiento de este mundo, sino que nos transformemos diariamente por medio de la renovación de nuestra mente (Romanos 12:2). La mente es el campo de batalla, donde nuestros más grandes éxitos, así como nuestros mayores fracasos, se llevan a cabo.

Estar "llenos" con la Palabra de Di-s es la clave para la victoria — no de una manera frívola o superficial, sino como una disciplina sistemática y diaria. Algunos no entienden, o simplemente nunca han experimentado, el poder sobrenatural de la Palabra de Di-s — el poder de sanidad, de ser transformados, de ser rescatados y dar a luz. Ejercer discernimiento y reforzar nuestras puertas mentales deben formar parte de nuestro entrenamiento diario. Todo debe ser juzgado antes de permitirle la entrada en la "casa".

¡Miren, la Palabra de Di-s está viva! Está obrando y es más afilada que una espada de dos filos; corta aun a través de donde el alma se encuentra con el espíritu, y las coyunturas se encuentran con los tuétanos, y es rápida en juzgar las reflexiones internas y actitudes del corazón.

(HEBREOS 4:12)

Los salmos son un excelente lugar para concentrarnos diariamente, estudiarlos intensivamente. Estos representan las expresiones más profundas del corazón humano y cubren toda gama de emociones. Comunican el sincero deseo del alma por Di-s, y nos recuerdan de su amor y preocupación por los quebrantados de corazón y los abatidos de espíritu. Como himnarios del Segundo Templo, los Salmos jugaron un papel vital en los servicios, ceremonias y ofrendas.

Las Quince Canciones de Ascenso (Salmos 120–134) son un buen lugar para comenzar. Estos salmos son los únicos que presentan un patrón del viaje de la humanidad en la tierra — un viaje que comienza en el exilio, separados de Di-s, que termina en la montaña en Su Presencia. El número quince, de acuerdo con los sabios, representa el nivel más alto de adoración a Di-s. Quince es el valor de Su Nombre, Yah. La estructura de adoración del Templo está edificada alrededor del número quince. Hay quince pasos del seder en la Pascua, y había quince pasos antes de la Puerta de Nicanor, donde el coro levítico cantaba. "En los quince escalones que conducían al Atrio de las Mujeres, lo que corresponde a quince canciones graduales, donde estaban los levitas con sus instrumentos musicales y cantaban" (Mishná *Sukkah* 5.4–5). La bendición Aarónica (El Señor te bendiga y te guarde...) se compone de quince palabras, y habían quince superintendentes que supervisaban la operación diaria del Templo. Las Quince Canciones de Ascenso se cantaban mientras los feligreses se dirigían a Jerusalén para las tres fiestas de peregrinación: *Pesach* (Pascua), *Shavuot* (Fiesta de las Semanas / Pentecostés) y *Sukkot* (Fiesta de Tabernáculos). Se ha sugerido que estos salmos también fueron cantados por los exiliados que regresaron de Babilonia, mientras que hicieron su ascenso final a Jerusalén. Nuestro viaje espiritual está destinado a llevarnos cada vez más cerca a la Presencia de Di-s. Pero si no tomamos en serio nuestra vida mental, si fallamos en recalibrar nuestros pensamientos, bien podemos encontrarnos en el exilio y estar fuera de Su Presencia.

Salmo 121 comienza, "Levanto mis ojos a los montes: ¿de dónde vendrá mi socorro? Mi ayuda proviene del Señor, creador del cielo y de la tierra " El salmista nos recuerda las promesas de Di-s para de forma continua vigilar y proteger nuestras almas y para que siempre nos guardemos de todo mal. Salmo 122 habla de la unidad de las tribus de Israel en la ciudad de unidad, Jerusalén, el lugar donde se instalarán los tronos de la Casa de David. Salmo 125 nos recuerda que, "como las montañas rodean Jerusalén, el Señor rodea a su pueblo ahora y para siempre." Salmo 127 declara que "Si el Señor no construye la casa, en vano edifican los trabajadores." Estas Canciones de Ascenso, que formaban parte de la liturgia del Templo, en última instancia, estaban vinculadas a la restauración de toda la creación.

Somos un solo cuerpo con muchos miembros que estamos todos interconectados (1 Corintios 12:12). Cada miembro tiene una función y propósito específico en la construcción de la Casa. Conocer su propósito y llamado es un gran regalo, y aceptar su llamado, se incluirá en el centro de Su voluntad — el lugar más seguro y más tangible en la tierra. Cuando vengan las tormentas y los torrentes golpeen la Casa, que no sea sacudida, porque está bien construida. Está construida sobre una base firme con *Yeshúa* como nuestra piedra angular.

Si Adonaí no hubiera estado por nosotros
cuando hombres se levantaron para atacarnos,
entonces, cuando la ira de ellos se encendió contra
nosotros,
nos hubieran tragado vivos, cuando su ira se encendió
contra nosotros.
Entonces nos habrían ahogado las aguas,
nuestras almas habrían quedado bajo el torrente.
Sí, las aguas enfurecidas hubieran barrido por sobre
nuestras almas.
¡*Ben*dito sea Adonaí, que no nos dejó para ser presa para
sus dientes!
Nuestras almas fueron libradas como pájaro de la trampa
del cazador;
la trampa se rompió, y nosotros hemos escapado.
Nuestro socorro es en El Nombre de Adonaí,
que hizo el cielo y la tierra

(SALMO 124:2–8)

CAPÍTULO TRES

SEPARACIÓN Y UNIDAD

En el principio, cuando Dios hizo el cielo y la tierra
como una casa... dividió en dos porciones el tejido del
universo a pesar de que era solo una casa... que la parte
superior pudiera ser una morada para los ángeles
y la inferior para los hombres.
(Clementine Recognitions 1.27)

"En el principio", revela la unidad del espacio sagrado de Di-s. Esta unidad se expresa como Un Día o *Yom Ejad* (Génesis 1:5: Di-s llamó a la luz día, y la oscuridad llamó noche. Así que hubo noche, y hubo mañana, Un Día). En la semana de la creación, Di-s comenzó a separar Su Templo cósmico en dos partes: este mundo (oscuridad) y el mundo por venir (la luz). Los siguientes días de la creación, cada uno se separó del primer día, y se les asignó una función particular en la construcción del Templo cósmico. Cuando la casa fue completada, los días separados se re — unieron para convertirse en *Yom Ejad* (Un Día) — llamado el séptimo día: el día de reposo, *Shabbat*.

De acuerdo con John Walton, la semana de la creación no era una lista de sustancias materiales sino más bien una representación de cómo debería funcionar el Templo cósmico de Di-s. Walton propone que el tiempo era la función del primer día (la separación entre este mundo y el mundo por venir), la estación era la función del segundo día, la producción de alimentos era la función del tercer día, la agricultura era la función del cuarto día (sobre la base del rol de los funcionarios — las grandes luminarias), los peces llenando el mar y las aves volando en el aire eran las funciones del quinto día, y la creación de la humanidad al reproducirse y llenar la tierra era la función del sexto día (Walton 2009: 53–58). El rol de la humanidad, era por lo tanto, poblar el mundo, sin limitaciones, y servir como sacerdotes sobre la creación de Di-s. "En el mundo antiguo algo existía cuando se separaba en una entidad distinta, se le daba una función y un nombre" (Walton 2006: 180).

El séptimo día, el retorno a *Yom Ejad*, representó la unidad de los seis días anteriores y significó que el Templo había sido acabado y listo para ser dedicado. Este es el telón de fondo para la visión de Juan de la sala del trono en Revelación (capítulos 4,5), así como la visión de Zacarías en el capítulo catorce:

> Y sucederá en Ese Día que no habrá luz; será Un Día [*Yom Ejad*], conocido para Ha'Shem, no será ni día ni noche, pero hacia el anochecer habrá luz.
>
> (ZACARÍAS 14:6,7 ARTSCROLL STONE ED).

La creación fue un proceso gradual de separación y unidad. Elementos femeninos fueron separados de los masculinos: la tierra del cielo, las aguas arriba de las de abajo, la noche del día, la tierra seca de los mares recogidos, seis días de siete, y Eva de Adán. La mujer se separó del hombre con el fin de "crear" una relación en la que dos se convertirían en uno, para producir vida, y establecer una casa para futuras generaciones. "El que es creado en la imagen del Santo es creado varón y hembra — para separarse en dos — porque ambos son necesarios para hacer de la creación una morada para el Creador" (Patterson 2005: 22).

Si la hembra no hubiese sido separada del varón, no hubiese muerto con el varón. Su separación fue el origen de la muerte. Para esto Cristo vino para corregir la separación que existía desde el principio mediante la unión de ambos.

(EVANGELIO DE FELIPE 70)

"Así los cielos y la tierra fueron terminados *(kallah)*, junto con todo en ellos. En el sexto día Di-s terminó *(kallah)* con sus trabajos los cuales Él había hecho, así que Él descansó en el séptimo día de todos sus trabajos que Él hizo." (Génesis 2:1,2). La palabra Hebrea *kallah* también puede traducirse como "novia." Los sabios vieron al cielo y la tierra, el Templo cósmico de Di-s, adornado como una hermosa novia en el séptimo día. En la liturgia judía, el *Shabbat* (séptimo) se compara con una novia y se le llama la *Shekinah* de Di-s o presencia interior.

Adán no podía tener hijos por sí mismo, por lo tanto *no era bueno que el hombre estuviese solo*. Di-s separó de Adán "una ayudante" — un *azhar*. De la palabra *azhar* obtenemos *azarah* — el atrio interior del Templo. Al igual que Eva fue creada para ayudar a Adán y llevar fruto a su casa, así también los servicios realizados en el atrio interior fueron diseñados para ayudar a Israel a acercarse a Di-s y ser de bendición y fecundación a la nación.

El primero de los Atrios Interiores se conocía como el Atrio de las Mujeres (*Ezrat Nashim*). Quince escalones llevaban hasta el nivel más importante y el atrio más alto conocido como el Azarah. Dentro de este atrio había dos sub atrios, el Atrio de Israel (*Ezrat Israel*) y el Atrio de los Sacerdotes (*Ezrat Kohanim*).

(JOSEPH GOOD A DAY IN THE TEMPLE)

Por el Di-s de tu padre, y mi Di-s te ayudó (ahzar), por El Shaddai, Él te bendijo, con bendiciones del cielo arriba, bendiciones de la tierra poseyendo todas las cosas, a causa de las bendiciones de los pechos y del vientre.

(GÉNESIS 49:25)

Clay Trumball, en su libro *The Threshold Covenant* [El Pacto del Umbral], describe antiguos mitos históricos de Polinesia en el que los hijos de la Madre Tierra y el Padre Cielo separaron obligadamente a sus padres para que el mundo pudiese existir entre ellos. Explicó que varias cosmogonías caracterizan la creación como un proceso marcado por etapas de separación. Esta es la clave: La creación es el proceso de "corte" entre el mundo superior (macho) y el mundo inferior (hembra) "para formar una distinción crucial en la relación que define la creación" (Patterson 2005: 156). *Brit*, que significa "cortar", es la palabra Hebrea para pacto. En el mundo antiguo, el cortar en dos partes era necesario para la confirmación de una relación de pacto. A la luz de esto, es importante tener en cuenta que la tierra fue "cortada" del cielo así como Eva fue "cortada" de Adán para que pudieran unirse y producir vida.

La unidad entre el cielo y la tierra en el séptimo día representaba la culminación de la casa de Di-s — "las generaciones (*toldot*) del cielo y de la tierra cuando fueron creadas" (Génesis 2:4). *Toldot* significa "tener hijos", sugiriendo que el cielo y la tierra se convirtieron en una casa cósmica, hablando en sentido figurado, para producir descendencia. La expresión, "cuando fueron creados" (*b'hee'bar'am*) puede ser re — organizarse a para deletrear "por medio de *Avraham*." Esto es notable porque era *Avraham* quien obedeció el llamado de Di-s a *separarse* de la idolatría de su día y cruzar a poseer la tierra. Fue sólo después de esta separación que Sara, que había sido estéril fuera de la tierra, produjo la semilla prometida, Isaac.

Kedushá (santidad), el término para separación, proviene de la raíz kadosh que significa "ser apartado o diferenciarse de." Para ser apartado implica ciertas restricciones. "La kedushá de los períodos de tiempo, como el Shabbat, días de reposo y las fiestas están marcados por límites a las actividades del hombre al trabajo y construcción" (Berman, 1995: 6). En el entorno del Templo, los elementos fueron apartados para el servicio de Dios por medio de restricciones formales y limitaciones legales. Estas restricciones protegen la santidad del espacio sagrado en el que los sacerdotes, los levitas, y los hombres de Israel llevaban a cabo sus diversas funciones. En particular, las ceremonias relacionadas con las leyes de pureza ritual conservaban la separación entre la vida en el interior del Templo y la muerte afuera. Todas las leyes de pureza presentan la elevación del estatus espiritual después de la muerte de algún tipo.

En el jardín, el Árbol de la Sabiduría del Bien y del Mal también fue apartado con ciertas restricciones — Adán y Eva se les prohibió comer de su fruto. Los Himnos del Paraíso, escritos por Efrén en el siglo cuarto EC, compara el paraíso a una montaña cuya cima es el Santo de los Santos. Un Himno compara al Árbol del Conocimiento con el velo en el Templo — separando este mundo del mundo por venir:

> En el mismo medio Él plantó el Árbol del Conocimiento, dotándolo de asombro, cercándolo de pavor, para que inmediatamente sirviera como un límite a la región interna del Paraíso. En medio del Paraíso, Di-s plantó el Árbol del Conocimiento para separarlo, arriba y abajo, santuario del Santo de los Santos.

(3.3, 14)

Adán y Eva comieron del árbol prohibido. Su rebelión condujo no sólo a su propia muerte, sino también a la desintegración de la misma creación. La violación de las reglas de Su casa tuvo graves consecuencias. Para evitar que los efectos mortales del pecado contaminaran el espacio sagrado, tuvo que ser retirado. El pacto de la creación había sido violado, y el exilio fue el juicio. La muerte separó Adán y Eva del jardín del santuario y de Su Divina Presencia, una barrera fue establecida para evitar que volvieran a entrar.

Poco a poco, los cuerpos físicos de Adán y Eva comenzaron a decaerse y el cosmos comenzó a desintegrarse. La creación estaba en necesidad de restauración... " que ella será liberada de la corrupción que la esclaviza y disfrutará la libertad, acompañando la gloria que los hijos de Di-s tendrán. Sabemos que hasta ahora toda la creación gime como si con dolores de parto;" (Romanos 8:21,22). Aquí Pablo describe la restauración de la creación en el idioma de reproducción física (como en el *toldot* del cielo y la tierra). Pablo dijo que la renovación de la creación comenzó con la resurrección del Mesías *Yeshúa* quien intercede a favor nuestro y establece la unión con Di-s.

> Pues estoy convencido de que, ni la muerte, ni la vida, ni ángeles, ni dominios celestiales, ni lo que existe, o lo que ha de venir; ni poderes de lo alto, ni de lo profundo, ni ninguna cosa creada, nos podrá separar del amor de Di-s, que viene a nosotros por medio del Mesías Yahshúa, nuestro Señor.
>
> (ROMANOS 8:38,39)

Para ser Santos

Nuestra visión moderna de santidad (*kedushá*) está levemente torcida. Generalmente atribuimos santidad a la conducta — de aquellos que actúan con justicia o con piedad o ejercen una conducta moral recta. Santidad, sin embargo, tiene más que ver con la función y distinciones entre los elementos que con calidad de carácter. Santidad se atribuye a Di-s y las funciones de Su Casa: el sumo sacerdote rociaba la sangre en el Santo de los Santos y en la cortina santa, los sacerdotes estaban en tierra santa, Israel adoró en Su monte santo, el sumo sacerdote era ungido con el aceite santo, los sacerdotes llevaban vestiduras sagradas y los servicios realizados durante las convocaciones santas, la gente hablaba el lenguaje sagrado, y descansaron en *Shabbat* — la primera entidad que se declaró santa en la Biblia. "Di-s bendijo el séptimo día y lo separó como *kadosh*; porque en ese día Di-s descansó de todos sus trabajos que Di-s había comenzado a hacer." (Génesis 2:3). En conjunto, el Cuerpo del Mesías es Su Templo Espiritual y Sus "santos".

La santidad/separación siempre está conectado al Templo y sus servicios. El santuario del jardín en la montaña de Di-s aparece como una era en que las semillas de cereales que dan vida se "separan" de la paja inútil. De hecho, la palabra hebrea "trillar", daish, significa "separar". Esto puede explicar por qué David compró la era que se encuentra sobre el Monte Moriá en Jerusalén como el lugar para construirle una casa a Di-s. En la era, Adán fue separado del polvo de la tierra para convertirse en el primer hombre. En la era, la tierra de Israel se separó de todas las otras tierras. Los hijos de Israel fueron separados de las naciones, los hombres de Israel se separaron de la gente, los levitas fueron separados de los hombres de Israel, los sacerdotes fueron separados de los levitas, y el sumo sacerdote fue separado de los sacerdotes. Cada uno tenía su propio rol y función específico en la preservación de la semilla de vida y la proliferación en traer a todo el mundo — el propósito de *kedushá*.

El templo era el lugar que separaba el mundo físico, plasmado en los seis días de la creación, del séptimo día eterno. Philo explica el significado del número seis:

Se dice que el mundo fue hecho en seis días, no porque el Creador estaba en necesidad de un período de tiempo ... sino porque las cosas creadas requerían orden; y el enumerar es similar al orden; y, de todos los números, el seis, es decir, por las leyes de la naturaleza, es el más productivo: para todos los números... es el primer perfecto, hecho igual a sus partes, y perfeccionado por ellos... y, por decirlo así, se formó de manera que sea tanto varón o hembra , está compuesto del poder de ambas naturalezas... Era conveniente, por lo tanto, que el mundo, siendo lo más perfecto de las cosas creadas, fuese hecho de acuerdo con el número perfecto, es decir, seis... ya que tendría que envolver el carácter tanto del varón que siembra la semilla y de la hembra quien la recibe. Y se le asigna a cada uno de los seis días una de las partes de un todo, excluyendo el primer día, que ni siquiera se llama el primer día, pues no puede ser contado con los otros, pero que le da derecho a quien lo nombra con razón, al percibirlo, y atribuyéndole la naturaleza y denominación de los límites.

(PHILO ON THE CREATION, III, 13–15)

El sexto día, *Yom Ha-Shishi*, es el único día en la semana de la creación que comienza con el artículo definido "el", la letra hebrea *hey*. Esta letra, cuando se añade al nombre de *Avram*, forma *Avraham*. El Rabino Culi, en su obra *Me'am Lo'ez*, sugirió que el firmamento creado en el segundo día para formar la separación entre las aguas superiores e inferiores era una prefiguración de *Avraham* que nació durante el segundo milenio. Él cree que *Avraham* fue el primer ser humano en formar una separación entre aquellos que creían en el Único y Verdadero Di-s de los que no lo hicieron. "Cuando fueron creados" (*b'hee'bar'am*) contiene una letra disminuida. Por lo tanto, los sabios proponen, que *Avraham* se convertiría en el padre de muchas naciones y en un pilar en la Casa de Israel en el reino físico. Los sabios siempre creyeron que Di-s creó el cielo y la tierra por causa de *Avraham,* y que su fe sostendría al mundo. Todo comenzó cuando *Avraham* se separó y su familia del mundo de idolatría de su padre para reclamar su herencia la tierra de Canaán — la ubicación futura del Santo Templo.

✡   ✡   ✡

Se sabe muy poco acerca de la enigmática figura de Nimrod o las circunstancias que rodearon el viaje de *Avraham* a la tierra de Israel. Este recuadro inventa una relación entre los dos y asume la opinión de algunos estudiosos que sugieren que *Avraham* residía en la región del norte de Mesopotamia Hurrita en lugar de más al sur, en Sumer:

Nimrod temía que un heredero del linaje de Sem se levantara y tomare el control de su reino. En un esfuerzo por aumentar su poder y preservar su imperio, Nimrod obligó a muchos de los descendientes de Sem a emigrar al norte y al oeste del centro de Mesopotamia. Él estaba convencido de que si primero consolidaba las ciudades estados de Akkad, y luego asumía el rol de dios nacional y monarca imperial, la amenaza planteada por la línea de Sem desaparecería. Nimrod se le conoce a menudo como *la semilla de rebelión continua* porque manipuló sus descendientes, a través de trucos y engaños, a rebelarse contra del Único y Verdadero Di-s. Rumores corrían de que su abuelo Ham había robado las pieles sacerdotales que originalmente eran de Adán dadas a Nimrod. Nimrod se puso aquellas pieles, ya que en su mente proporcionaba un sello de aprobación de regencia divina.

En respuesta a las tácticas opresivas de Nimrod, Taré se trasladó al norte a la tierra de los Hurritas, donde el Tigris y el Éufrates atravesaban la parte alta de la Creciente Fértil. Esta región contaba con escarpadas montañas y llanuras altas, y era un cruce importante para el negocio y comercio internacional. Los Hurritas importaban obsidiana de Anatolia, lapislázuli de alta calidad del Valle Indo, y la apreciada madera de cedro del Líbano. La capital de la región, Ur Kesh (algunos estudiosos piensan que se añadieron letras adicionales a Ur Kesh para formar *Ur Kasdim* /caldeos), era una ciudad cosmopolita y próspera cuyos edificios ostentaban arquitectura intrincadamente tallada, piedra ornamental, e incluso plomería interior. Los mercados vibrantes estaban repletos de artículos de lujo como joyería costosa e instrumentos musicales inusuales. Filas de carros de ganado vacíos y caravanas de burros estaban estacionadas a lo largo de las estrechas y arboladas calles esperando a que los vendedores y comerciantes los cargaran con mercancía costosa.

En un momento dado, el padre de *Avram*, Taré, sirvió como gobernador de esa bulliciosa metrópolis. Taré se casó con Amthelo, hija del rey de Ur Kesh, y disfrutó de la riqueza, el poder y la influencia que venían con su posición en la sociedad. Su condición de gobernador le proporcionaba un estilo de vida opulento, completo con alojamiento palaciego rodeado de jardines exuberantes. Las tierras de su propiedad lucían doce grandes estatuas de piedra finamente cinceladas por artesanos Hurritas. Imponentes muros de piedra cubiertos con arbustos rodeaban la propiedad que Taré compartía con su esposa y sus tres hijos: *Avram*, Nacor y Harán. El hijo menor, Harán, nació y se crió en este entorno de lujo en Ur Kesh. Después de la temprana muerte de Harán, *Avram* se casó con la hija de Harán, Saraí, y también asumió la responsabilidad de criar a su hijo, Lot.

Con el tiempo, Taré perdió su nombramiento en *Ur Kesh* obligando a la familia a regresar a la ciudad de Jarán — el lugar de nacimiento de *Avram* y Nacor. Situada a cien millas al oeste de *Ur Kesh*, *Jarán* fue construida sobre una enorme cresta que proporcionó fortificaciones naturales para la ciudad. Manantiales fluían por encima de su base, y un zigurat (la imagen especular de una construida en Ur en Sumeria) fue erigida cerca. El dios principal de Jarán, al igual que en Ur, era Nanna el dios de la luna. Situada a lo largo de una ruta comercial popular, Jarán era políticamente estable y próspera económicamente. Taré fue más que feliz de vivir sus últimos días allí, aunque no podía evitar la profunda tristeza que sentía al ver a *Avram* y su familia recoger sus pertenencias y marcharse en un caravana para la tierra de su antepasado, Sem. Taré, limpiándose una lágrima mientras veía a la familia de su hijo partir, reflexionó en el milagro del nacimiento de *Avram*.

En una noche tranquila, setenta y cinco años antes, Nimrod y sus astrónomos fueron testigos de la explosión de una estrella en el este. La luz de la estrella cubrió todo el cielo nocturno, y los astrólogos de Nimrod interpretaron el presagio celeste como una señal de que el hijo recién nacido de Taré, *Avram*, mataría a Nimrod y ascendería al trono. La esposa de Taré, Amthelo, bajo el amparo de la oscuridad — huyó hacia el este para esconderse en la vasta red de cuevas en las Montañas de Zagros. Mientras lágrimas rodaban por su roja e hinchada cara, tenía fuertemente agarrado a *Avram* y oró fervientemente al Único Di-s Verdadero — pidiendo por la vida de su pequeño.

Amthelo se instaló en una gran cámara subterránea completamente hipnotizada por las paredes forradas de cristal, que nunca dejaron de brillar. Amthelo envió un mensaje a Sem, antepasado de *Avram*, para que viniese a instruirle en los caminos del Único y Verdadero Dios — creador del sol, la luna y las estrellas y Soberano sobre los cielos, la tierra y los mares. Había oído muchas historias inspiradoras a lo largo de su vida, y sabía que Sem era el heredero legítimo y sumo sacerdote de la familia. Había oído rumores de un libro que contenía los secretos celestiales de la creación, y ella ansiosamente quería que Sem pasase los misterios del libro junto a la persona que estaba a diez generaciones desde Noé — su hijo, *Avram*. Sem se sentó con *Avram* y le explicó en gran detalle la creación, el santuario del jardín, y los caminos del sumo sacerdote. Le mostró las escrituras de la historia, el destino de las generaciones de su familia, y los misterios detrás de la cortina celestial que separaba a Dios del mundo. Noé, el padre de Sem, había conservado cuidadosamente el libro atesorándolo dentro de un cofre de oro especialmente construido antes de las aguas del diluvio. Se cree que el Rey Salomón se le dio la sabiduría contenida en este libro de misterios para que pudiera construir el primer templo al Único y Verdadero Di-s en ese mismo lugar.

Cuando *Avram* llegó a su decimotercer cumpleaños, era seguro regresar a *Ur Kesh*. Akkad había sido vencida, el poder de Nimrod en la región había disminuido en gran medida, y su padre, Taré, ahora era gobernador. A pesar de que Taré había logrado alcanzar gran éxito financiero y social en la sociedad Hurrita, *Avram* estaba aprendiendo los caminos de un pastor – vigilando y cuidando sus ovejas y ganado en el terreno montañoso de Zagros. Después de perder la gubernatura, toda la familia de Taré regresó a Jarán. Durante catorce años más, *Avram* esperó pacientemente — pastoreando sus rebaños en el borde de la Fértil Creciente cuando en una noche oscura, sin luna, el Señor Di-s le habló:

> Lej Leja (sal) de tu tierra, de tu parentela y de la casa de tu padre a la tierra que te mostraré. Y haré de ti una gran nación; te bendeciré y engrandeceré tu nombre y serás de bendición. Bendeciré a los que te bendigan, y al que te maldijere lo maldeciré; y todas las familias de la tierra serán bendecidas.
>
> (GÉNESIS 12:1–3)

Aunque la decisión de *Avram* dejar Jarán significaba separarse de las relaciones familiares y las comodidades de la sociedad Hurrita, lo único que le importaba era moverse hacia el oeste hacia el antiguo emplazamiento del santuario del jardín y la morada de Su Di-s. Así *Avram* empacó toda su casa, junto con su sobrino Lot, y se dirigió hacia el sur a través Tadmor a Damasco. A partir de ahí, la familia viajó por todo el borde sur de los picos nevados de Monte Hermón – en dirección oeste para cruzar la región superior del río creciente del Jordán. En Dan, finalmente pusieron un pie sobre la tierra de la promesa — al entrar a través de una enorme puerta de triple arqueado construido con ladrillos de barro secados al sol. Una vez en la tierra, entonces partieron: primero a Hazor, luego hacia el sur a Meguidó, y finalmente a Siquem, donde terminaron su largo viaje. El terreno de Siquem era un poco empinado y rocoso — perfecto para pastorear los rebaños de *Avram*.

Dos se Convierten en Uno

La visión del mundo bíblico es una visión de la unidad de todas las cosas y cómo el mundo material visible se refiere a otra dimensión de la existencia que une a todas las cosas en un sistema divinamente ordenado conocido como el pacto eterno, el pacto de la creación.

(BARKER 2010: 19)

Después que *Avram* se separó de su padre terrenal en Mesopotamia, cruzó a Canaán para unirse en convenio con su Padre Celestial y tomar posesión de la tierra. Por lo tanto, después que la letra *hey* fue añadida a su nombre, *Avraham* se convirtió en el "padre de muchas naciones." Según los sabios, Di-s creó el mundo con la letra *hey* para simbolizar el nacimiento del Reino Mesiánico — donde semilla sembrada produciría una gran cosecha. El Rabí Gamliel dijo: "En la era mesiánica las mujeres darán a luz a sus hijos todos los días como una gallina que pone huevos todos los días" (Quoted in Patai 1979: 230). *Avraham* y Sara (anteriormente *Avram* y *Saraí*) se les dio una promesa que juntos producirían fruto en tal abundancia que su descendencia sería tan numerosa como las estrellas del cielo y los granos de arena de la orilla del mar. Esta fueron Buenas Nuevas. And then shall the whole earth be tilled in righteousness,

"Entonces toda la tierra será cultivada en justicia y toda ella será plantada de árboles y llena de bendición. "Todos los árboles de la tierra que deseen serán plantados en ella y sembrarán allí viñas y cada una de ellas producirá mil jarras de vino y cada semilla producirá mil medidas por una, y una medida de aceitunas producirá diez lagares de aceite.

(1 ENOC 10:18,19)

La primera posesión de Abraham en la tierra de Israel fue la Cueva de Macpela que compró como un lote de cementerio para su esposa, Sara. Macpela significa "doble" y representa la unión entre marido y mujer. Esta cueva, es una metáfora de la cámara interior del Templo, el lugar donde están enterrados los patriarcas y matriarcas – incluyendo a Adán y Eva. Los sabios teorizaron que la Cueva de Macpela fue la entrada al Jardín del Edén bajo el trono de Gloria: el lugar donde el cielo y la tierra se unen como uno solo.

La función y propósito de la creación fue establecer orden del desorden — producir nueva vida y construir relaciones. Elementos masculinos y femeninos fueron separados primero y luego reunidos para construir una casa que refleje a la perfección la imagen de Di-s. Este es el tema de la Biblia. *Yeshúa* les dijo a los fariseos que en el principio Di-s creó a Adán y Eva varón y hembra. Dijo que un hombre debe separarse de su padre y madre y unirse a su mujer para que los dos se fueran una sola carne. "Así que ya no son dos, sino uno. (Mateo 19:4–6; Génesis 1:27). Aquí reside el misterio del pacto la creación: que la vida surge cuando dos se unen para convertirse en uno. Esto se reafirmó a través de las uniones de los patriarcas y matriarcas y los hijos que produjeron, a través de la unión de Israel y su Di-s, y por medio de la unidad de *Yeshúa* y su asamblea. Esta relación de pacto se extiende también a la reunificación de la Casa de Israel y la Casa de Judá.

Él hizo esto, para crear en unión con El mismo [Mesías] de los dos, un hombre renovado, y entonces hacer Shalom...

En unión con Él, el edificio completo crece hacia el Lugar Kadosh de morada en el Señor.

(EFESIOS 2:15B, 21)

La unión del hombre y la mujer se describe en la Escritura no solamente como bueno, pero siendo *ma'od tov* o "muy bueno". Bueno no se utiliza como una descripción informal de un objeto o un sentimiento, sino que significa el cumplimiento de la función. Los elementos de ambos sexos se producen según su género para poblar la tierra con la imagen de Di-s. Esta función se declaró tov *ma'od*.

Así que Di-s creó al hombre; a la imagen de Di-s lo creó; macho y hembra Él los creó. Di-s los bendijo, diciendo: "Sean fructíferos, multiplíquense, llenen la tierra y sométanla..."

(GÉNESIS 1:27,28A SCHOTTENSTEIN ED.)

La imagen de Di-s es la forma de una casa, y producir descendencia humana es reflejar esa imagen. En el *AMO*, un dios que gobernaba sobre una ciudad en particular tomaba su consorte al santuario interior de su templo para consumar su matrimonio. El Santo de los Santos, llamó la cámara de luna de miel o canapé, el santuario interior del Templo santo de Di-s.

"¡Suenen el shofar en Sión! Proclamen ayuno kadosh llamen para asamblea solemne." Reúne al pueblo; dedica como kadosh la congregación; reúnan a los ancianos; recojan a los niños, hasta los infantes que maman los pechos; que el novio salga de su habitación (chadar) y la novia de la cámara matrimonial (chuppah).

(JOEL 2.15, 16)

La cámara nupcial permanece oculta detrás del velo. Es lo

santo en el santo. El velo al principio ocultaba cómo Dios controlaba la creación.

(EVANGELIO DE FELIPE II CG 3.58, 84)

Adán, el primer sumo sacerdote, fue creado a imagen de Di-s. Todo sumo sacerdote posterior representó la unidad entre varón y hembra cuando prestaban los servicios dentro del Santo de los Santos. En *Yom Kippur* (Día de Expiación), el sumo sacerdote entraba en el Lugar Santísimo para restaurar la relación entre Di-s y la comunidad de Israel — y por lo tanto hacía expiación a favor del pueblo. Con el fin de llevar a cabo sus funciones, el sumo sacerdote tenía que estar casado. Si su esposa moría antes de que él llevara a cabo los servicios, se casaba de nuevo antes de entrar al Santo de los Santos (*Yoma* 1.1). *Yom Kippur*, el día de la redención final, fue el día en que se restauró, se estableció de forma permanente el pacto eterno de la creación, y la unidad entre el cielo y la tierra se había consumado.

El Santo de los Santos, en representación del *Shabbat*, fue descrito como *Yom Echad* o Un Día y se separó del resto de la casa por un velo. La casa se restaurará cuando los seis días de la semana de la creación vuelvan a unirse con el séptimo día. La restauración también vendrá cuando los cielos, que representan el mundo por venir, vuelvan a unirse con la tierra: este mundo. De nuevo el "sexto día" se distingue de los otros días con el artículo definido "el" Esta es la letra *hey*: la letra que representa el Reino Mesiánico y la misma letra añadida al nombre de *Avraham* para hacerlo "padre de muchos". El propósito del sexto día era traer fecundación al mundo a través de la unidad de Adán y Eva, y al resto de la raza humana.

Según el libro de los Jubileos, Moisés entró en la cámara interior del Templo de Di-s en la cima del Monte Sinaí. Se le dijo que escribiera los seis días de la creación y al mismo tiempo se le dio detalles adicionales acerca del *Yom Ejad*, Un Día (detalles que se omitieron de la historia de la creación).

La erudita británica del Templo Margaret Barker sugiere que las revelaciones dadas a Moisés incluían los secretos de Yom Ejad — que eran los secretos de la creación y el carruaje del trono de Di-s: parte del mundo oculto detrás del velo en el interior del Santo de los Santos (Jubileos 2.1–3). Fue desde el interior de la cámara interior que el pasado y el futuro de los "seis días" fueron revelados a Moisés. Según Barker, esto explica por qué tanta historia se incorpora en la literatura apocalíptica. Los libros de Revelación y Daniel, por ejemplo, registran muchos detalles sobre eventos pasados y futuros desde la perspectiva de la historia.

La creación fue revelada a Moisés como un prototipo celestial que representó, en el microcosmos, el Templo y el Tabernáculo. Jubileos sugiere que Moisés enlazó *Yom Echad* al marco exterior del Tabernáculo en el que Di-s extendió su tienda sobre las vigas de la creación.

> Moisés erigió el Tabernáculo, puso sus bases en su lugar, erigió las tablas, puso los travesaños y puso sus postes. El extendió la tienda sobre el Tabernáculo y puso la cubierta de la tienda sobre ella, como el Señor había ordenado a Moisés.
>
> (ÉXODO 40:18,19)

> Tú extiendes los cielos como una cortina, quien cubre sus cámaras con agua. Haces de las nubes tu carruaje, y andas sobre las alas del viento.
>
> (SALMO 104:2,3)

> Y en el sol, Él ha puesto Su Tabernáculo que sale como novio de la cámara del desposorio, con deleite como gigante para correr su curso.
>
> (SALMO 19:5)

Yom Echad, un día se refiere al mundo fuera del tiempo — conocido sólo por Dios, pero a veces revelado a Sus siervos. *Yom Echad* era el reflejo de la declaración de la fe de Israel: Oye (Shemá), Israel: El Señor nuestro Di-s, nuestro Señor Uno es. *Yom echad* significa que "Adonaí será Uno y Su Nombre será Uno" (Zacarías 14:9.) *Yom Echad* se hizo realidad en *Yeshúa* el Mesías porque la "unidad era a la vez el signo y la prueba de origen divino" (Barker 2011: 12).

"Oro, no sólo por éstos, sino también por aquellos que confiarán en mí por la palabra de ellos, para que todos puedan ser uno, así como Tú, Padre, estás unido a mí y Yo contigo, oro que ellos puedan estar unidos con nosotros, para que el mundo pueda creer que Tú me enviaste.

(JUAN 17:20,21)

Ustedes que... en un tiempo estaban separados de Di-s... ahora se han reconciliado en el cuerpo físico de su Hijo, por medio de su muerte, para presentarlos santos y sin defecto o reproche ante Él; ...de la esperanza en las Buenas Noticias que oyeron Fui hecho siervo de las Buenas Noticias, porque Di-s me dio este trabajo a hacer para el beneficio de ustedes. El trabajo es que se conozca completamente el mensaje de Di-s, el secreto oculto por generaciones y siglos, pero ahora manifestado claramente a la gente que Él ha apartado para Sí mismo. A ellos, los Gentiles, Di-s quiso que conocieran cuán grande es la gloriosa riqueza de este secreto, y el secreto es este: ¡El Mesías está unido con ustedes! ¡En esto descansa la esperanza de gloria de ustedes!

(COLOSENSES 1:21−23B, 25B−27)

La Carta a los Colosenses está llena con el rico lenguaje de unidad, actividades de construcción del templo, y simbolismo del matrimonio. Las alusiones a la creación y el mensaje de *Yom Echad* se encuentran en las expresiones de unidad vinculadas al Mesías y su comunidad. Pablo anima a los Colosenses a seguir viviendo sus vidas en unidad con el Mesías y entre unos con otros. Explica que es a través de su unión con el Mesías que se han hecho completos. Por último, pone todo esto en el contexto del mensaje de las Buenas Nuevas, es decir, ser fructíferos en toda buena obra, y multiplicarse en el pleno conocimiento de Di-s.

Apartaos de Cultura

> *Además, entiende esto: en el ajarit hayamim [últimos días] vendrán tiempos difíciles. La gente será amadores de sí, adoradores del dinero, vanagloriosos, arrogantes, insultantes, desobedientes a los padres, ingratos, malvados, insensibles, implacables, calumniadores, incontrolables, crueles, aborrecedores de lo bueno, traidores, impetuosos, hinchados con vanidad, amando el placer, más bien que a Dios, según retienen la apariencia externa de religión, pero niegan su poder.*
>
> (2 TIMOTEO 3:1–5)

La cultura Hurrita probablemente era la influencia principal en la vida de *Avraham* y su familia. *Avraham* pudo haber adoptado la costumbre Hurrita en el que una mujer era conocida como la hermana de su marido. Esta norma cultural podría explicar el por qué *Avraham* le dijo al Faraón, de manera fraudulenta, que Sara era su hermana. Sin embargo, muchas de las opciones que *Avraham* hizo probablemente violaron algunas de las costumbres más importantes de los Hurritas. El estado de propietario, por ejemplo, era la posición más honorable en la sociedad. Cuando *Avraham* abandonó la propiedad familiar, hubo traído gran vergüenza y humillación a su padre. Parece que Taré vivió otros sesenta años después que *Avraham* se fue de Jarán. Según las tradiciones Hurritas, los dioses familiares eran arrendados a los miembros de la familia y se transmitían como parte de las expresiones de muerte de un padre a su hijo mayor. La partida de *Avraham* antes de la muerte de Taré significaba que él estaba rechazando de su padre los dioses familiares — otro golpe para la familia.

✡ ✡ ✡

La Biblia nos llama a separarnos de la cultura y a dirigirnos a Dios como lo hizo *Avraham*. ¿Cómo nos diferenciamos y preservamos nuestra identidad como ciudadanos del reino cuando la cultura ejerce una enorme presión? Nadie es inmune a sus efectos. Las normas culturales y tradiciones son afrodisíacos fuertes que pueden seducir hasta al más recto entre nosotros. Los hombres de fe, sin embargo, se separaron de la cultura de su día para preservar y proteger sus semillas familiares. Noé construyó un arca con sus tres hijos — Sem, Cam y Jafet que eventualmente volvieron a poblar la tierra. *Avram* dejó Mesopotamia, "cruzando" a la tierra de Canaán, confirmó el pacto con Di-s, y se convirtió en *Avraham*: el padre de muchos. Moisés condujo a los hijos de Israel fuera de la idolatría de Egipto en el desierto donde crecieron en una nación fuerte y poderosa. Pedro nos da una palabra de aliento para hacerles frente a los gigantes culturales:

> Queridos amigos, les aliento a ustedes como expatriados y residentes temporales no se dejen dominar por los deseos de su vieja naturaleza, que siempre están batallando en contra ustedes; sino vivan tan buena vida entre los paganos, que aun ahora cuando ellos los acusan de ser hacedores de maldad, como resultado de ver sus buenas obras, darán gloria a Di-s en el Día de Su venida
>
> (1 PEDRO 2:11,12)

La cultura en la que uno vive bien podría tener el mayor impacto a la familia. Hoy en día, prácticamente todas las instituciones que fueron una vez de influenciada positiva por una visión del mundo judeo — cristiano ahora han sido apresadas por la impiedad del humanismo secular y la tiranía de lo políticamente correcto. Todas las instituciones de la sociedad se han corrompido de alguna manera: la industria del entretenimiento, las artes, los medios de comunicación, la educación, las ramas militares, el gobierno, el mundo académico, las empresas, e incluso la religión. El mensaje de hoy es: "todo vale", y "usted es libre de hacer lo que se sienta bien hacer y trabaje para usted — independientemente de las consecuencias."

¿Qué pasa cuando una sociedad pierde sus influencias morales? En su intento de destruir a Dios, desenganchó su carretón de verdades eternas y, en cambio, decidió sustituir su propia idea de la utopía. Para alcanzar esa utopía — la libertad de las expectativas sociales y normas de objetividad — en sí tenía que ser destruido, a fin de evitar la culpa. La verdad objetiva perdió todo sentido; sólo la subjetividad importa... el idioma se convirtió en el enemigo, ya que las definiciones excluyen a personas y cosas que no están cubiertos por esas definiciones; tuvo que ser pervertido y secuestrado.

(BEN SHAPIRO, THE DAILY WIRE)

Una familia estable es el baluarte de la sociedad. Para la cultura del deterioro, el enemigo público número uno es el padre de la casa. Como proveedor, líder, reformador, protector y defensor de la familia, un padre fuerte asegura la estabilidad en el hogar. Las familias estables son iguales a las sociedades fuertes. Las familias estables revelan la verdadera naturaleza y el carácter de Di-s y reflejan su imagen en el mundo. Al remover el padre, lo marginan, o se quebranta su autoridad y propósito conduciendo al deterioro de la fundación de la casa. La epidemia actual de hogares sin padre ha contribuido a la mayor parte de los males de la sociedad: un sinfín de adicciones, violencia de pandillas, suicidios, dependencia del gobierno, aumento de madres solteras, asesinato de bebés no nacidos, y la plaga que es la industria del tráfico sexual humano. La industria del entretenimiento hace su parte justa de lo que los padres parecen ya sea como bufones incompetentes o depredadores sexuales. Esto ha contribuido aún más a la ruptura de las relaciones familiares, una vez sanos y normales en los que se cumplan las necesidades de los hijos e hijas en el hogar. Ahora nos encontramos con una sociedad de hijos sin padres que han sido completamente perdidos u olvidados.

El mayor azote de nuestros días, sin embargo, es la de miles de millones de dólares de la industria pornográfica en todo el mundo que tiene como objetivo la ruptura de la definición de la sexualidad humana de Di-s. Esto ha llevado a la redefinición del matrimonio y el aumento de los problemas de identidad de género. Cambiando el idioma y haciendo el comportamiento aberrante legítimo no anulará las desastrosas consecuencias que se derivan de los llamados estilos de vida alternativos. En pocas palabras, la pornografía destruye la paz, el placer y la satisfacción de un buen matrimonio. La pornografía promueve el placer egoísta como la más alta definición de sí mismo y exige el sacrificio de muchas vidas en el proceso. La pornografía y su comportamiento destructivo resultante son nada más que la falsificación de las relaciones sexuales saludables, en el contexto del matrimonio. Produce océanos de miseria y vidas destrozadas. Esta adicción deja a su paso relaciones no saludables, abusivas y destructivas que son prácticamente imposibles de reparar. La pornografía engendra el adulterio, pedofilia, prostitución, tráfico humano, y ahora se ha encendido el llamado movimiento de los derechos de género. Degradando la sexualidad humana ha permitido el surgimiento y la promoción cultural de los estilos de vida alternativos — confundiendo a jóvenes, niños y niñas acerca de su propia sexualidad. La pornografía destruye la familia "tradicional" y se ha convertido en la droga de entrada para todo tipo de depravación.

El fácil acceso a la Internet, el auge de las redes sociales y el uso sin fin de dispositivos electrónicos han causado estragos en formas inimaginables. El suicidio entre los adolescentes está en su punto más alto. Los niños pequeños son los más vulnerables cuando se trata de la pornografía y a menudo han sufrido un daño irreparable. Imágenes destructivas e insalubres están impresas permanentemente en sus diminutos cerebros. Los expertos en la materia han encontrado que los efectos de la pornografía no sólo están afectando a los niños, pero están inundando todos los rincones de la sociedad. La pornografía se ha convertido en una crisis de salud pública certificable. La cultura pornográfica primero hiper — sexualiza a niñas y luego las explota desde una edad muy joven. La pornografía es ahora una norma cultural corrosiva que no puede ser exagerada.

Una estimada amiga y ex adicta a la pornografía, escribió una vez no profesionalmente en los tableros del Internet, y recientemente compartió sus experiencias conmigo. Ella cree que la pornografía dañó literalmente los circuitos de su cerebro y seriamente degradó sus conexiones importantes. "Creo que los he matado," dijo. Su consejo para los padres es no asumir que hay cualquier cosa "segura" a la estimulación sexual del cerebro fuera del lecho matrimonial.

Te puedo decir sin ninguna duda que no hay formas seguras de la pornografía que se puede estar expuesto – están en las novelas románticas, portadas de revistas que excitan la mente, o películas que combinan música y visuales con el fin de manipular a los centros de placer. Vivimos con la mentira de que los niños no pueden ser envenenados por esto a menos que en realidad estén siendo molestados. Nos gusta imaginar que la pornografía es menos destructiva para niñas que los niños, y sin embargo, a los ocho años, estaba dibujando obsesivamente fotos en la intimidad de mi habitación después de la exposición de un calendario muy fachendoso en el lugar de trabajo de mi padre — a pesar de que no teníamos tal pornografía en nuestra propia casa. A pesar de haber sido salva a los años, tuve problemas con pensamientos obsesivos hasta que tenía — cuatro años terribles de ser atormentada día y noche. La liberación no deshizo el daño a mi cerebro. Me era imposible identificarme con el sexo de una manera normal y saludable. Trece años más tarde, todavía vivo con las consecuencias de la pornografía y tal vez siempre lo haré. No me malinterpreten, ser libre del tormento de aquellas imágenes terribles es maravilloso y lo agradezco todos los días. La primera dosis de veneno se me alimentó, pero yo era la que regresaba otra vez para seguir probando. No existen niveles seguros o formas seguras de pornografía — no hay inmunidad adjunta sólo porque eres mujer o porque eres joven. No está más seguro en tu mente si lo visualizas en casa o en una librería para adultos. Al igual que cualquier otra droga, no tienes idea de qué dosis será la dosis adictiva.

TYLER DAWN ROSENQUIST, ANCIENT BRIDGE PUBLISHING

Estos no son problemas que se pueden resolver fácilmente. A veces parece abrumador y tardará más que "sostener firmemente" unos cuantos versículos de la Biblia para sanar las vidas fracturadas y devastadas dejadas atrás. Los padres tendrán que permanecer siempre vigilantes – consigo mismos y con sus hijos. La reconstrucción del hogar sólo puede comenzar una familia a la vez. Francas discusiones familiares son absolutamente cruciales. Aprender a distinguir entre los principios bíblicos y las normas culturales es esencial.

Así pues, imiten a Dios, como sus hijos amados; y vivan

una vida de amor, así como también el Mesías nos amó; en verdad, se entregó como ofrenda en lugar de nosotros, como sacrificio de muerte a Dios con agradable olor fragante. Entre ustedes no se debe siquiera mencionar la inmoralidad sexual, ni ningún tipo de impureza o avaricia; esto es absolutamente inapropiado para el pueblo santo de Dios También fuera de lugar están las obscenidades, habladurías estúpidas y lenguaje grosero; más bien, deben permanecer dando gracias. De esto pueden estar seguros: toda persona sexualmente inmoral, impura o avariciosa, esto es, todo adorador de ídolos no tiene parte en el Reino del Mesías y de Dios. Nadie los engañe con palabras huecas; pues es por estas cosas que el juicio de Dios cae sobre los que le desobedecen. ¡Así que no sean copartícipes con ellos! Pues ustedes estaban en tinieblas; pero ahora están unidos con el Señor, son luz, vivan como hijos de luz, pues el fruto de la luz es todo tipo de bondad, justicia y verdad; traten de determinar lo que le agrada al Señor. No tengan nada que ver con las obras producidas por las tinieblas, en cambio, expónganlas, pues da vergüenza hablar de lo que esta gente hace en lo secreto.

(EFESIOS 5:1–12)

Pero para aquellos que están dispuestos a escuchar y obedecer los mandamientos de Dios...

Es como alguien que construye una casa, excavó en lo profundo y echó los cimientos sobre Roca firme. Cuando vino la inundación, el torrente golpeó contra la casa, pero no la pudo zarandear, porque estaba construida sobre la Roca.

(LUCAS 6:48)

La Palabra de Di-s es un barómetro que mide hasta qué punto nos hemos desviado de Su camino. Esto es válido para todos los comportamientos relacionados con la pornografía. Su Palabra es la limitación de comportamiento fuera de control y un salvavidas contra la depravación moral. Primero tenemos que enfrentar la realidad y luego reconocer el problema y evaluar los daños. Individualmente, no podemos solucionarlos todos, pero sin duda podemos enfocarnos como un láser a nosotros mismos y nuestras familias. Una familia que sigue los principios bíblicos proporciona una cobertura de protección para sus miembros. La Biblia es clara que hay que enseñarle la palabra de Di-s a fondo a nuestros hijos: "y lo repetirás mientras te sientas en tu casa, mientras caminas en el camino, cuando te acuestes y te levantes" (Deuteronomio 6:6,7 Artscroll Stone Ed). El rescate de nuestros hijos desde el adoctrinamiento del "sistema de educación del mundo" no es una opción.

No tenemos el "lujo" de entregarnos a nuestros deseos carnales y perder más tiempo valioso. Debemos humillarnos a diario, confesar y arrepentirnos ante Dios. Eso es sólo el comienzo. También debemos estar dispuestos a pedir ayuda a aquellos en quienes confiamos en la comunidad. Este problema es demasiado grande para las agencias gubernamentales, psicólogos y consejeros lo arreglen. Se ha informado de que, en muchos, muchos casos, los hombres nunca se liberan de la adicción. Nosotros debemos estar dispuestos a soportar las cargas de los demás, especialmente las mujeres que han experimentado abuso de primera mano. Hay que salir de nuestras zonas de confort, ensuciarnos las manos, salir de las trincheras y ayudar a salvar a los cautivos y los que han sido violados por este enemigo mortal.

Cada vez que una familia es sanada, restaurada y puesta en libertad, la creación se acerca a ser restaurada. So moldeemos nuestro comportamiento santo en casa — reemplace el mal con el bien, la injusticia con la justicia de Di-s, y las mentiras del enemigo con la verdad. Por lo tanto, como el pueblo escogido de Dios, santo, tiernamente amado, revístanse con sentimientos de compasión y bondad, humildad, gentileza y paciencia. Sopórtense unos a otros, si alguno tiene queja de otro, perdónelo. En verdad, de la misma forma que el Señor los ha perdonado, así ustedes tienen que perdonar (Colosenses 3:12,13). ¡SOPÓRTENSE UNO AL OTRO!

CAPÍTULO CUATRO

EXPIACIÓN Y RESTAURACIÓN

Tomará el incensario lleno de carbones ardientes del
altar delante de Adonaí y, con sus manos llenas de
incienso molido fragante, lo traerá dentro de la cortina.
Pondrá incienso en el fuego delante de Adonaí, para
que la nube del incienso cubra la cubierta del Arca la
cual está sobre el Testimonio, para que él no muera.
(Levítico 16:12,13)

Los sacerdotes de hecho son buenos, pero el Sumo
Sacerdote es mejor; a quien el Santo de los Santos ha
comisionado y el único a quien se le ha confiado los
secretos de Dios. Él es la puerta del Padre para entrar en
Abraham, Isaac y Jacob y los profetas y los apóstoles y la

iglesia. Todos estos factores tienen por objeto la obtención de la Unidad de Dios.

(Ignacio de Filadelfia 9)

El siguiente relato no es una historia del *Midrash* sino más bien una representación de acontecimientos que conducen alrededor al servicio de incienso llevado a cabo por el sumo sacerdote en el Día de Expiación. Este relato se basa en el material de Levítico capítulo 16 y el Tratado *Yoma* en la Mishná que contiene la mejor información sobre el servicio:

El Sumo Sacerdote *Yehoshua Ben* David reflexionó en los preparativos de la semana anterior a *Yom Kippur* (Día de Expiación). Había dejado su ámbito familiar en la ciudad de Jerusalén con el fin de segregarse en *Palhedrin* la cámara del *Azarah*: el atrio interior del complejo del templo. Se requieren siete días de consagración para lograr el más alto nivel de pureza ritual — necesario para llevar a cabo el servicio en ese día sagrado. Separado de su esposa y su familia, no se volvería *tamai* (ritualmente impuro. Como medida de seguridad, otro sacerdote había sido preparado para realizar los servicios de *Yom Kippur*, si hubiera quedado descalificado; *Yehoshua* se determinó que esto no sucedería.

Durante los seis días previos a *Yom Kippur*, *Yehoshua* había tomado gran placer en el desempeño de las funciones requeridas del templo: rociar la sangre de las ofrendas de la mañana y de la tarde, quemar el incienso en el altar de oro, y envolver la menorá de siete brazos — añadiendo nuevas mechas y aceite recién prensado e incluso encender las lámparas. *Yehoshua* había sido rociado con la mezcla de agua y cenizas de la vaca roja (red heifer) con el fin de mantener la pureza ritual durante toda la semana. Los Ancianos de la Corte habían pasado horas en su habitación cada día — enseñándole las leyes del servicio. Una cámara sin pretensiones por los estándares del templo, la Cámara *Palhedrin* estaba escasamente amueblada con sólo una pequeña cama, varias sillas de madera y una sencilla mesa de madera. Las visitas nocturnas con los ancianos habían sido especialmente satisfactorias. Debates animados se producían mientras estudiaban el servicio de *Ajarei Mot* (después de la muerte, Levítico 16): la porción de la Torá de *Yom Kippur*. El comprender de que iba a representar a toda la nación, y que iba a estar entre los muertos y los vivos, le causaba cierto nivel de ansiedad. Atormentado por la responsabilidad que le esperaba, *Yehoshua* cayó sobre su rostro delante de Di-s en una actitud de acción de gracias — agradecido por haber sido elegido para servir como Sumo Sacerdote.

En la mañana de la víspera de *Yom Kippur*, *Yehoshua* se unió a los Ancianos de la Corte en la Puerta del Este. Se tomó el tiempo para examinar cada uno de los animales elegidos para las ofrendas del día; bueyes, carneros y ovejas desfilaron ante él mientras él asentía con la cabeza. Luego se dirigió, junto con algunos de los Ancianos de la Corte, a la cámara superior de *Bet Avtinas* para supervisar los preparativos finales para el *ketoret* (incienso). El compuesto de especias se molía un segundo tiempo que resultó en un polvo muy fino. La molienda dejó un aroma divino en el aire - saturando las vestimentas de *Yehoshua* e impregnando todo el complejo del templo. *Yehoshua* volvería a la cámara de Avtinas para las últimas instrucciones antes de manejar el *ketoret*.

A medida que caía la noche, toda comida y bebida se retiraban del cuarto del Sumo Sacerdote. *Yehoshua* estaba obligado a permanecer despierto, y el comer y beber inducirían a la somnolencia. Los ancianos se unían a él en su cuarto una vez más - esta vez para asegurarse de que no se dormiría. Periódicamente, ellos cantaban en voz alta del libro de los Salmos. Cuando *Yehoshua* sentía que iba quedarse dormido, él bruscamente sacudía su cabeza y luego se cacheteaba suavemente sus mejillas. Un joven sacerdote, un poco indeciso al principio, en voz alta chasqueó sus dedos cuando *Yehoshua* comenzó a dormitar; otro cortésmente le pidió al sumo sacerdote a ponerse de pie. Cuando los pies de *Yehoshua* tocaron el frio suelo de mármol, el choque le obligó a despertarse. Ningún calzado fue usado alguna vez en los recintos sagrados. Se dice que cuando los pies del Sumo Sacerdote entraban en contacto con el suelo, esto simbolizaba la manifestación de la Presencia Divina en el recinto sagrado. Durante toda la noche los hombres estudiaban juntos, exponiendo una variedad de temas legales — leyendo de los libros de Job, Esdras y Crónicas.

La luz del alba emitió sus primeros rayos a través de la ventana de la cámara, y el Sumo Sacerdote, cansado de estar de pie la mayor parte de la noche, dejó escapar un suspiro de alivio. El día finalmente había llegado y con él un tinte de emoción acompañado de algunas mariposas. No podía cometer ningún error ese día. A medida que el cielo del este iluminaba a Hebrón, y justo antes de que comenzaran los sacrificios rituales, *Yehoshua* era llevado abajo al *mikve* (baño de inmersión) para la primera de las cinco inmersiones. Una vez que se había bañado y se secaba, se ponía cuidadosamente su atuendo sacerdotal para los servicios regulares de la mañana. Las ocho prendas se llamaban las "prendas de oro", y emparejaban con el *parokhet* (velo) frente al Santo de los Santos. Sus prendas eran tejidas con techelet: lana teñida de color azul celeste del molusco de mar hilazón, argamon: lana teñida de púrpura, tolat sheni: lana teñida de rojo oscuro de un gusano, y shesh: lino blanco. Cada color representaba los elementos del mundo material.

Después de cada inmersión ritual, *Yehoshua* se cambiaba de ropa — alternando entre sus vestimentas de oro y sus vestimentas blancas. Las prendas de oro eran usadas para el servicio exterior: el de las ofrendas regulares de la mañana y la tarde. Las prendas blancas eran usadas para el servicio interno: las confesiones, el sorteo de los dos machos cabríos, la aspersión de la sangre, la quema de incienso en el interior del Santo de los Santos, y, finalmente, la eliminación del incensario de la cámara interior. Después de completar el servicio regular de la mañana, *Yehoshua* seguía a los ancianos al *mikve* en el techo de la cámara del *Bet Haparvah* (Casa del Bronceado). Se levantaba una sábana de lino para protegerlo de la gente mientras realizaba su segunda inmersión. Después de secarse rápidamente con la misma sábana, *Yehoshua* se vestía con las ropas de lino blancas hechas del tallo martillado de la planta del lino. Las cuatro prendas de vestir —la túnica, pantalones, cinturón y turbante— siempre las usaba el Sumo Sacerdote al realizar los servicios de *Yom Kippur*. Con el uso de estos *pelusium* (prendas blancas de lino fino), se vestía como los ángeles al pasar a través del velo para el reino celestial. En el interior del Santo de los Santos, el Sumo Sacerdote ya no sería el "emisario humano" sino que pasaba ser parte de la hueste celestial angelical. Las prendas blancas que usaba ese día nunca se utilizaban de nuevo.

Yehoshua recorría su camino hacia el extremo norte del patio del Templo entre la entrada y el gran altar donde un novillo estaba listo a ser sacrificado. La cabeza del novillo se sujetaba mirando al oeste hacia el santo santuario. *Yehoshua*, de espaldas mirando hacia el este, colocaba sus manos entre los cuernos del novillo y hacia la siguiente confesión:

He obrado mal, he transgredido, he pecado delante de Ti, yo y mi casa... pero en este día se hará expiación por vosotros, para limpiarles, de todos vuestros pecados serás limpio delante del Señor.

Luego hacia una oración por sí mismo y por su propia familia, y hablaba el impronunciable *Sem HaMeforash*: el nombre inefable. Cuando escuchaban el nombre, la multitud de fieles que se habían reunido para presenciar el servicio del sumo sacerdote se postraban en el suelo y clamaban al unísono: "*Baruj Shem Kevod Malchuto Le'olam va'ed*: ¡*Ben*dito sea el Nombre y Su glorioso reino por toda una eternidad!" Después que recibía la sangre del novillo, era el momento que el sumo sacerdote ofreciese el incienso.

Yehoshua ascendía al medio de la rampa del gran altar. Normalmente cada día habían cuatro pilas de madera quemadas en el altar, pero en *Yom Kippur* se añadía una pila adicional de la que el Sumo Sacerdote tomaba las brasas para el servicio del incienso. Él empujaba las brasas humeantes a un lado para que pudiera recoger los carbones encendidos, y su incensario de oro se ponía rojo. Cargando el incensario lleno de brasas, *Yehoshua* hacía su camino de regreso por la rampa altar al patio del Templo. El pavimento de piedras de mármol del patio estaba posicionado en filas y cada fila se llamaba una terraza. Era en la cuarta terraza que *Yehoshua* esperaba a que los sacerdotes le trajeran el cucharón de oro de la cámara de los vasos y una bandeja llena de incienso finamente molido del *Bet Avtinas*. Con el incensario de oro más pesado en la mano derecha y el cucharón de oro más ligero con incienso en la mano izquierda, *Yehoshua* cuidadosamente se enfocaba en no dejar caer ni el incienso ni las brasas. Se había entrenado para este momento durante casi un año; si los granos se caían sería desastroso para la nación. Esto requería gran destreza y buen equilibrio para maniobrar el incienso, los carbones, y los vasos.

El Sumo Sacerdote se movía lentamente y deliberadamente hasta los doce escalones en el *Ulam* (pórtico) y hacia el santuario interior del Templo. Al acercarse al Santo de los Santos, se detenía un momento para admirar el intrincado tejido del velo de colores vibrantes en azul, rojo y púrpura. El velo exterior se sujetaba con un broche de oro. El velo interior se fijaba en el lado norte. *Yehoshua* caminaba entre los velos paralelos que formaban un pasillo. Al pasar a través de los velos, veía la luz divina aparecerse desde la sala en forma de cubo que estaba cubierta de oro puro. Su corazón latía con fuerza, mientras trataba de calmar sus emociones. Se llenaba de una sensación de asombro y maravilla por la grandeza y el esplendor que tenía delante él. Simplemente no había palabras para describir lo que veía. A *Yehoshua* le resultaba difícil incluso mover sus pies hacia adelante por la gloria de Di-s que presionaba todo su alrededor. Se quedaba hipnotizado por las dos figuras monumentales de los querubines, cada una con el cuerpo de un animal alado y la cabeza de un hombre. Parecían estar congelados en el tiempo — con la punta de sus alas tocando uno al otro. El Arca del Testimonio de oro estaba debajo de la envergadura masiva que formaba un trono carruaje para el Rey del Universo. *Yehoshua* tomaba su posición entre las dos varas que sobresalían de los costados del arca hacia las cortinas.

El Sumo Sacerdote colocaba el incensario en la *shetiyah*: la gran piedra. La piedra era ligeramente más alta que la tierra, y servía como la base de la casa. Hábilmente, *Yehoshua* maniobraba el incienso en sus manos y luego tomaba un puñado y lo ponía sobre los carbones – poniéndose a un lado para evitar quemarse. Esta era la tarea más difícil de cualquiera en el templo pues requería gran experiencia y mucha práctica. Mientras daba un paso hacia atrás, los ojos de *Yehoshua* se agrandaban cuando sentía el calor de las brasas. Él esperaba ansiosamente que toda la cámara se llenara de humo y que el dulce aroma de las especias impregnara el espacio sagrado. El humo se elevaba desde el Templo como una columna recta. Un ingrediente secreto, llamado *ma'aleh ashan* (ascensor de humo) y conocido sólo por los miembros de la Casa de *Avtinas*, se dice que causaba que el humo ascendiera como una columna. La hierba no tenía ninguna fragancia, pero sí evitaba que el denso humo quemase los ojos de *Yehoshua*. Al mirar a la columna de humo, no podía evitar comparar esta vista con la columna de nube que protegió a Israel mientras viajaban por el desierto.

Yehoshua vio la gloria cernirse sobre el Arca del Pacto así como el Espíritu de Di-s había flotado sobre las aguas primordiales en la creación. Fue a través del *ketoret* que la *Shekinah* (presencia interior) descansaría sobre Israel. *Yehoshua* fue abrumado por la sensación de que él estaba de pie en el centro de la eternidad y que el servicio de incienso era un recuerdo del *Brit Esh*: el Pacto de Fuego. Que significó la restauración del orden creado a través de la expiación. El *ketoret* no sólo restauró la unión entre Di-s y el hombre, pero trajo unidad a todo Israel.

El Sumo Sacerdote permanecía con el rostro fijo hacia el Arca del Pacto mientras se movía hacia atrás para salir del Santo de los Santos. Decía una breve oración al pasar de nuevo a través del velo, y un escalofrío le recorría su espalda. Se había reunido con el Di-s del Universo cara a cara en una nube — y había sobrevivido. Day of Atonement

Día de Expiación

> *"Será una regulación permanente para ustedes que en el décimo día del séptimo mes ustedes se negarán a sí mismos y no harán ningún tipo de trabajo, ambos los ciudadanos los extranjeros viviendo con ustedes. Porque en este día, expiación será hecha por ustedes para purificarlos; ustedes estarán limpios delante de Adonaí de todos sus pecados. Es un Shabbat de descanso completo [Shabbat-Shabbatón] para ustedes, se negarán a sí mismos."* Esta es una regulación permanente.
>
> (LEVÍTICO 16:29-31)

Di-s creó el mundo a través del *Brit Esh* (Pacto de Fuego): un pacto eterno que fue diseñado para llevar y mantener un universo ordenado. "El romper el Pacto de la Creación trajo la ira y el reparar la brecha en el pacto se llamó expiación" (Barker 2010: 123). El pecado rompió los lazos del convenio eterno, por lo que la renovación del pacto necesitaba expiación. Los servicios del Templo en *Yom Kippur* (Día de Expiación) eran rituales anuales de re-creación diseñados para reparar la brecha y conmemorar la restauración del *Yom Ejad*, Un Día: el estado original de la creación. La aspersión de la sangre y la quema de incienso en el Santo de los Santos eran rituales de expiación que protegían a la gente de la ira de Di-s. Pero, en realidad, solamente la creación fue simbólicamente restaurada a través de estos servicios.

Antiguamente, *Yom Kippur* era un motivo de alegría que no sólo celebraba el Año de Jubileo (el quincuagésimo año después de siete años sabáticos que proporcionaron una liberación de todas las deudas), sino también el festival anual del Año Nuevo. Era un día de regocijo cuando el sumo sacerdote salía ileso del santuario interior. Era un día marcado por fiestas y matrimonios — sin abnegación. "Sin duda, el día que anunciaba este 'año de libertad" era un día de alegría desenfrenada, "porque era el día" cuando las hijas de Jerusalén, salían a danzar a los viñedos" (J. Milgrom 2004: 162-63). Para el período del Segundo Templo, *Yom Kippur* se había convertido en una asamblea solemne como lo que es hoy con su énfasis en el ascetismo. Como parte de la fiesta anual del Año Nuevo, se reconoció como un día de juicio y redención: un tiempo en que los pecados eran expiados o castigados. Juzgar el comportamiento humano fue clave para mantener el orden creado.

En este día, el sumo sacerdote se despojaba a sí mismo de toda impureza con el fin de realizar personalmente los servicios — purificando el pueblo y el templo. "Los rituales del Día de Expiación eran los medios anuales por la que se habilitaba al mediador entrar, en pocas palabras, la Presencia Divina en el Santo de los Santos y por lo tanto se efectuaba un restablecimiento temporal de la creación de pureza e integridad" (Barker 2008: 44).

Yom Ha'Kippurim debe traducirse como "el día de *expiaciones*." *Kippur* proviene de la raíz *kappar*, es decir, cubrir, y sugiere algún tipo de cubierta protectora. Una palabra similar aparece en Éxodo 16 en la descripción del maná bajo el rocío: "algo delgado como *k'por* (escarchas) que cubrieron la superficie del desierto." *Kapporet*, que es la cubierta del Arca del Pacto, ha sido erróneamente denominada como el propiciatorio (Martin Luther la tradujo como "propiciatorio"). Jacob Milgrom propuso que *kappar* también podría significar "para limpiar" y que *kaporet* en realidad no es traducible. Él lo explica como "una lápida de oro macizo en lo alto del arca, en los bordes de las cuales estaban dos querubines, de una pieza hecha de oro batido, de rodillas uno frente al otro, con las cabezas inclinadas y las alas extendidas de manera que se tocaban en el medio "(2004: 167).

Las letras hebreas en *kapporet* (cubierta) pueden ser reorganizadas para formar *parokhet* (cortina). La cortina y la cubierta eran los dos lugares en los que el sumo sacerdote rociaba la sangre. La gematría o valor numérico (letras de una palabra o una frase se les da un significado basado en un valor numérico) de estas palabras es de 700: un número del templo relacionado con el séptimo día, el Santo de los Santos, el Reino, y la restauración de la creación (discutido en el capítulo 6). *Kapporet* también se menciona siete veces en la porción de la Torá que describe los rituales de expiación para *Yom Kippur* (Levítico 16). El servicio de expiación se explica probablemente aquí en respuesta a la muerte de los dos hijos de Aarón, Nadab y Abiú, varios capítulos anteriores. Después de poner los carbones en sus incensarios y fijaron el incienso en la parte superior, los hijos de Aarón se acercaron a Di-s con "fuego extraño". La palabra hebrea para fuego extraño es zur: difundir o desparramarse como un extraño que se dispersó. *Zur* también puede significar, sin embargo, "uno que está distanciado" o incluso "una prostituta". Esto sugiere que los hijos de Aarón rompieron el pacto de relación íntima con Di-s por sus acciones. Los pactos eran relacionales, por lo que cuando un pacto se rompía, resultaba en una relación distanciada entre las dos partes. En el caso de los hijos de Aarón, se retiró el cerco de protección que proporciona el pacto, y fueron juzgados con la muerte por su desobediencia.

En *Yom Kippur,* el sumo sacerdote ofrecía un total de quince sacrificios de animales; quince es un número asociado con la forma más alta de adoración y entrar en la Presencia Divina. Él elegía dos machos cabríos por lote: uno dedicado al Señor y el otro se enviaba a su muerte al desierto. En ambos el *kaporet* y el *parokhet,* se rociaban la sangre de un toro ofrecido por él y su familia. La sangre de este mismo toro se mezclaba con la sangre del macho cabrío que el sumo sacerdote ofrecía al Señor. Una segunda vez, esta sangre se rociaba sobre el *kaporet* y el *parokhet*. No había arca en el Santo de los Santos en la época del Segundo Templo, por lo que el sumo sacerdote rociaba la sangre en el aire siete veces con su dedo — como un látigo — imágenes que transmitían un acto de limpieza. (*Yeshúa* tomó un látigo (Juan 2:15) y expulsó a los cambistas para limpiar el Templo antes de la Pascua.) El sumo sacerdote también rociaba la sangre en las cuatro esquinas del altar de oro de incienso (dentro del Lugar Santo) y sobre el altar que estaba delante del edificio del Templo. El resto de la sangre se vertía bajo el altar — simbólico a las almas de los mártires que claman (Revelación 6:9,10), "¿Cuánto tiempo antes de que juzgues a la gente de la tierra y tomes venganza de nuestra sangre?" La sangre es el símbolo de vida, y contiene propiedades purificadoras capaces de limpiar la contaminación del pecado. Por lo tanto, la expiación mediante sangre trae vida a la creación.

El diseño de Dios para la restauración permanente de la creación fue a través de la sangre derramada de su Hijo, *Yeshúa* el Mesías. Expiación no estaba obligada a apaciguar a un Dios enfadado sino más bien para eliminar los efectos del pecado humano y reparar el pacto roto. En su artículo, "Expiación en Levítico," Mary Douglas define expiación:

> Para cubrir o recuperar, reparar un agujero, curar una enfermedad, reparar una grieta, reparar algo que se ha desgarrado o roto. Expiación no significa cubrir un pecado con el fin de esconderlo de los ojos de Di-s; significa hacer una buena capa exterior que se ha podrido o perforado.
>
> (JEWISH STUDIES QUARTERLY 1 1993-4: 117)

La propia sangre de *Yeshúa* fue rociada sobre el Arca del Pacto en el Lugar Santísimo celestial: el mundo fuera del tiempo. Su sangre restauró la creación y reconstruyó el vínculo del pacto entre Dios y el hombre. "Él es el vínculo de nuestra integridad y por su unificación hemos sido curados" (Isaías

53:5 traducción de Barker).

> Pero cuando el Mesías se manifestó como Kohen Gadol de las buenas cosas que ya están ocurriendo, por medio de un mayor Tabernáculo que no es hecho por hombres, pues no es de este mundo creado; entró en el Lugar Kadosh Kadoshim una vez y para siempre. Y entró, no por medio de sangre de corderos y becerros, sino por medio de su propia sangre, así redimiendo a todo el mundo para siempre.
>
> (HEBREOS 9:11,12)

"Cuando *Yeshúa* dijo: "Pues ésta es mi sangre, que ratifica el Nuevo Pacto, Mi Sangre derramada a favor de muchos, para que ellos puedan tener sus pecados perdonados." (Mateo 26:28), sabía que su expiación conduciría a la restauración permanente de la creación tal como era en un principio. Muchos ven su expiación como el "Nuevo Pacto", que sustituyó a un "pacto antiguo" que había quedado obsoleto. Sin embargo, su sangre derramada renovó el Pacto de la Creación (llamado el "Nuevo Pacto") para restaurar el original, no para sustituirlo. Se rompió a causa del pecado y se reinstaló por medio de sangre. Parece que la palabra "nuevo" fue una adición posterior a la redacción del Nuevo Testamento; "Nueva Alianza" no apareció hasta los textos griegos Códice de Alejandrino y el Códice de Beza en el siglo quinto (Barker 2007: 177).

Cuando el enlace del pacto fue roto por el pecado y rebelión, la protección que el convenio proporcionó se retiró y la ira de Di-s fue derramada sobre el pueblo. Los profetas advirtieron continuamente a la nación que su pecado, sobre todo en cuanto al trato de la Casa de Di-s, causó el colapso del orden natural. Hageo 1:7-11, dice que el abandono de la casa de Di-s traería grave sequía y hambruna. La tierra de Israel y el Templo estaban inextricablemente ligados al estado del Pacto de la Creación.

La Tierra yace profanada por razón de sus habitantes; porque transgredieron la Torá cambiaron las ordenanzas aun el Pacto eterno. Por lo tanto, una maldición devorará La Tierra porque sus habitantes en ella han pecado. Por lo tanto, los habitantes de La Tierra serán pobres, y pocos hombres serán dejados. La ciudad es un caos está desolada, todas las casas cerradas; nadie puede entrar. En las calles lloran por el vino; toda alegría se ha disipado, todo regocijo se ha ido de La Tierra. En la ciudad, sólo desolación, sus puertas están abatidas, sin reparo posible.

(ISAÍAS 24:5-6,10-12)

El libro de Revelación está lleno de signos catastróficos: el sol se oscureció, la luna no da luz, estrellas que caen del cielo, y las potencias sacudidas para describir el Día de Ira. Como consecuencia de romper Su pacto, el Templo de Jerusalén sería destruido por los romanos en el año 70 EC, e Israel sería enviado al exilio. Cuando la creación está fuera de balance da lugar a todo tipo de desastres naturales: terremotos, hambre, peste, pérdida de cosechas, y trastornos cósmicos que se derramaron sobre la tierra en el contexto del Día del Señor. Philo dijo: "El mundo está en armonía con la Ley y la Ley con el mundo y así romper la Ley afectó a la creación" (Citado en Barker 2010: 153).

En su ira furiosa El quebrantó todo el cuerno de Israel, retiró su protectora mano derecha cuando se acercó el enemigo, y encendió una llama en Ya'akov como fuego ardiente devorando todo en derredor. Ha destruido todas las cosas deseables de mi ojo en el Tabernáculo de la hija de *Tziyon*, El derramó su furia como fuego. Él ha dispersado su Tabernáculo tan fácil como una viña, Él ha estropeado sus festividades, Adonaí ha olvidado los tiempos designados y los *Shabbat*ot los cuales designó en *Tziyon*. En la furia de su ira Él desconcertó al rey, y kohen, y al príncipe.

(LAMENTACIONES 2:3,4B, 6)

Parte del *Shemá* (Oye Israel, el Señor nuestro Di-s, el Señor Uno es...) describe la ira que Dios derramará por desobedecer sus mandamientos:

> Pero tengan cuidado no se dejen ser seducidos, para que se vuelvan a un lado, sirviendo a otros dioses y adorándolos. Si lo hacen, la furia de Ha'Shem se encenderá contra ustedes. El cerrará el cielo, para que no haya lluvia. La tierra no dará su producto, y ustedes rápidamente pasarán de la buena tierra que Ha'Shem les está dando.
>
> (DEUTERONOMIO 11:16,17 ARTSCROLL SIDUR)

En la historia de la rebelión de Coré cuando la ira amenazaba al pueblo, Aarón, el sumo sacerdote, ofreció incienso para expiación. Se puso entre los muertos y los vivos, y la plaga se detuvo. El sumo sacerdote más tarde ofreció incienso en el interior del Santo de los Santos del Tabernáculo como un acto ritual de expiación.

> Moisés dijo a Aarón: "¡Toma tu incensario, pon fuego en el altar, pon incienso sobre él, y apúrate con él a la asamblea para hacer expiación por ellos, porque furia ha salido de Adonaí, y la plaga ya ha comenzado!" Aarón lo tomó, como Moisés había dicho, y corrió al medio de la asamblea. Allí la plaga ya había comenzado entre el pueblo, pero él añadió incienso e hizo expiación por el pueblo. Él se paró entre los vivos y los muertos, y la plaga se detuvo.
>
> (NÚMEROS 16:46-48)

Simbólicamente, el servicio de sangre y el incienso que se llevaba a cabo por el sumo sacerdote en *Yom Kippur* proporcionaba temporalmente la expiación necesaria para prevenir las consecuencias destructivas de la ira y el juicio. La expiación del Mesías, sin embargo, reparó de forma permanente la brecha y revirtió el pacto colapsado. Por lo tanto, al igual que el sumo sacerdote llevaba la maldad de los que expió, Mesías llevó el pecado de todos nuestros pecados con el fin de restaurar el Pacto de la Creación para siempre.

La Nube de Incienso

Pondrá incienso en el fuego delante del Señor, para que la nube del incienso cubra la cubierta del Arca la cual está sobre el Testimonio, para que él no muera.

(LEVÍTICO 16:13)

Perfumé como cinamomo y espliego de aroma como mirra exquisita, como incienso y ámbar y bálsamo, como perfume de incienso en el santuario.

(ECLESIÁSTICO 24:15)

Generalmente asumimos que la sangre rociada en el Santo de los Santos en *Yom Kippur* era el único ritual de expiación, pero el servicio de incienso también proporcionaba expiación. Cuando el incienso se colocaba sobre las brasas ardientes, una nube de humo se elevaba para llenar la cámara interior y la cubierta del Arca del Pacto. Este ritual anunciaba el regreso de *Shekinah* (Presencia de Di-s) a Su casa y la restauración del quebrado *Brit Esh* (Pacto de Fuego). El *ketoret* (incienso) actuó como una cubierta para la nación, para protegerla de la ira divina de Di-s. La nube ocultaba el trono y así protegía al sumo sacerdote de la Presencia Divina. Este escudo era necesario porque ningún mortal puede estar "cara a cara" (modismo para *Yom Kippur*) con el Creador y vivir.

Ketoret (incienso) significa unión. La ofrenda de incienso creaba el vínculo necesario para reparar el Pacto de la Creación. *Ketoret* simboliza unidad. Las especias individuales se convirtieron en un aroma perfumado — imagen de los redimidos del Señor. *Rashi* comparó los once ingredientes a la unidad de la congregación. Dijo que el undécimo ingrediente, el *ma'aleh ashan* (humo que salía de *hierbas*), representó al pecador que se unía a la congregación en conjunto (representados por los diez ingredientes). El *ma'aleh ashan* causaba que el humo del incienso ascendiera como en una columna recta.

Para los servicios de Tabernáculo, se combinaban cuatro especias: incienso, casia, resina de bálsamo onycha y gálbano aromático (Éxodo 30:34,35). Philo conecta estas cuatro especias a los cuatro elementos naturales (tierra, aire, fuego y agua) "de lo que todo el mundo fue llevado a su plenitud" (*Who is Heir?* 197). El gálbano de olor fétido adquiría una fragancia dulce cuando se mezclaba con las otras tres especias. Por lo tanto el gálbano se comparó con los malvados cuyo "olor" es transformado por el dulce aroma de los justos. Josefo enumera trece especias olorosas (*Guerras de los Judíos* 5.218), y el Talmud (6a BT *Keriot*; *Yerushalmi Yoma* 4.5) enumera once especias incluyendo una pequeña cantidad de *ma'aleh ashan*. Las once especias se combinaban de acuerdo con una fórmula secreta que se transmitió a través de la familia de los *Avtinas*. Ellos fueron los responsables de hacer el incienso para el periodo del Segundo Templo. El incienso se quemaba dos veces al día (durante los servicios regulares de la mañana y tarde), así como en *Yom Kippur*. Una vez cada sesenta o setenta años, una porción — del tamaño de las manos del sumo sacerdote — se dejaba a un lado. Cuando se recogía, proporcionaba el suministro de incienso de la mitad de un año.

Cada año, los *Kohanim* (sacerdotes del *Bet Avtinas*) hacían suficiente *ketoret* para proporcionar una porción diaria para el servicio del incienso regular y tres porciones adicionales para el servicio de *Yom Kippur*. El sumo sacerdote "llenaba sus dos manos," una señal de su sacerdocio, cuando ofrecía la porción del incienso.

> Y entonces su reino será aparecen a lo largo de toda su creación, y entonces Satanás no será más, y la tristeza se apartará con él. A continuación, se llenarán las manos del ángel que ha sido nombrado jefe, y él inmediatamente se vengara de sus enemigos. Porque el Celestial se levantará de Su trono real, y que saldrá de Su Santa Morada con ira y enojo a causa de sus hijos. Y la tierra temblará: sus confines serán conmovidos: Y las altas montañas serán llanos, y las colinas serán sacudidas y caerán.
>
> (ASUNCIÓN DE MOISÉS 10.1-4)

Una propiedad única del *ketoret* era que expiaba *lashón hará* (lengua maligna) o el habla despectiva en contra otros. Según el Rabino Culi en su comentario *Ma'om Loez*", el incienso era un recurso iluminado para la purificación del pecado — de modo que todo el que olía el incienso, ya quemado en el altar de oro de incienso tendría pensamientos de arrepentimiento." Esto daba lugar a un corazón que se purificaba de malos pensamientos y del habla maligna.

> Y él [el sumo sacerdote] había hecho expiación por sí mismo, por su casa, y por toda la asamblea de la casa de Israel. ¿Qué es la expiación que obtiene de manera uniforme por sí mismo, su familia, sus hermanos, los sacerdotes y toda la asamblea de la casa de Israel? Es el humo del incienso. ¿Pero el incienso obtiene expiación? De hecho, para el R. Hananías citó: Aprendemos que el incienso obtiene expiación por lo que se decía: Y él puso incienso, e hizo expiación por el pueblo.
>
> (BT YOMA 44A)

Esto ayuda a explicar la visión de Isaías del trono celestial (Isaías 6:1-7). La visión de Isaías está escrita en un lenguaje que transmite expiación: Vi a Di-s sentado sobre un trono alto y sublime con el borde de Su manto que llenaba el Templo. Él ve a los *Serafines* (quemado) de seis alas sobre el trono y diciendo unos a otros: "*Kadosh, Kadosh, Kadosh* (Santo, Santo, Santo) es *Adonai Tzavaot* (Señor de los Ejércitos). Toda la tierra está llena de Su gloria." Él vio los dinteles de la puerta que temblaron, y observó como el templo se llenó de la nube de humo de incienso. La escena es similar a lo que Israel vio al recibir la Torá en el monte (Éxodo 19:18). El monte estaba envuelto en humo cuando Di-s descendió sobre él en fuego; el humo subía como el humo de un horno, y todo el monte se sacudió violentamente.

> Entonces dije: "¡Ay de mí! ¡Porque estoy punzado en el corazón! – por ser un hombre y con labios inmundos, habitando en medio de un pueblo con labios inmundos, he visto con mis propios ojos al Rey, Ha'Shem-Tzevaot!" Uno de los serafim voló hacia mí, teniendo en su mano un carbón encendido, el cual había tomado del altar con unas tenazas. Tocó mi boca con el carbón, y dijo: "¡He aquí! Esto ha tocado tus labios. Quitará tu iniquidad, y expiará tu pecado."
>
> (ISAÍAS 6:5-7 ARTSCROLL STONE ED.)

Una posibilidad del por qué Moisés le fue prohibido entrar a la tierra puede tener que ver con el servicio de incienso. A Moisés se le ordenó hablarle a "la roca" con el fin de recibir agua para la comunidad (Números 20:7-12). La roca era una imagen del oráculo de Di-s, el *debir* (el hablar: un nombre para el Santo de los Santos), donde Di-s le habló a Moisés. Moisés golpeó la roca dos veces con su vara, en lugar de hablarle a ella — y el agua fluyó inmediatamente. La leyenda cuenta que esta roca provino de la primera piedra de la cima del Monte Moriá donde el mundo recibió su agua. Esta roca se dice que había seguido a los hijos de Israel en su caminar por el desierto — descansando dentro del Tabernáculo dondequiera que acampaban. En el servicio del Templo en *Yom Kippur*, el sumo sacerdote colocaba el incienso en esta misma roca.

La palabra hebrea para golpe es nach, se forma de dos letras: *nun* y *kaf*. *Nun* significa semilla, y *kaf* es una palma. El cucharón para el incienso también se llamaba *kaf* porque de él, el sumo sacerdote tomaba el incienso y lo colocaba en su palma. *Nach* significa "algo aplastado", como las semillas finamente molidas en polvo. ¿Fueron las semillas machacadas del *ketoret* en la palma de su mano? ¿Pudo Moisés haber estado actuando como mediador para proporcionar reconciliación a la comunidad? ¿Fue Moisés "cortado", debido a las constantes quejas, lamentos, y el hablar en contra de la dirección—*lashón hará*? ¿Estaba él, hablando metafóricamente, siendo justo pagó por su pecado, fue "muerto" a favor del pueblo, y sufrió las consecuencias?

Cuando Moisés subió a recibir las tablas de piedra, la Gloria de Di-s cubrió el monte como una nube. La Gloria se mantuvo durante seis días, y en el séptimo día Di-s llamó a Moisés desde la nube. En el Templo, mientras el sumo sacerdote esperaba a que el incienso llenara la cámara interior y la cubierta del arca, él también quedaba envuelto en *una nube de gloria* (Éxodo 24:18). "Porque Yo aparezco en la nube por encima de la cubierta del *kaporet*." (Levítico 16:2 Artscroll Stone Ed.).

Después miré y, de repente, en la bóveda sobre las cabezas de los keruvim (querubines), apareció sobre ellos algo como zafiro que lucía tomar la forma de un trono. El habló con el hombre vestido de lino; dijo: "Ve entre las ruedas debajo de los keruvim, llena tus dos manos con carbones encendidos de entre los keruvim, y tíralos sobre la ciudad." Mientras yo miraba, él fue.' Ahora, los keruvim estaban junto a la derecha de la casa cuando el hombre entró, y la nube llenó el patio interior. La Gloria de Adonaí se elevó desde encima de los keruvim hacia el umbral de la casa, dejando la casa llena con la nube y el patio lleno del resplandor de la Gloria de Adonaí.

Una historia judía (de *Pesikta Rabbati* 20: 4) narra el ascenso de Moisés a la cima de la montaña. Al llegar a la cumbre, vio una nube flotante que se abrió mientras se acercaba. Entró y se encontró en la presencia de una gran luz. La nube se lo llevó al cielo, y cuando llegó a las puertas del firmamento la nube se abrió de nuevo; dio un paso al paraíso, donde estaba delante del trono de Di-s. Allí vio a Di-s tejiendo coronas de las letras de la Torá. Los ángeles le preguntaron acerca de dar el tesoro de la Torá a un hombre, pero el Santo respondió que la Torá fue creada para ese propósito (Schwartz, 1993: 45-47).

La nube prefiguró el rol de *Yeshúa* como mediador del Pacto de la Creación y protector de la ira de Di-s. Los sabios declararon, "*Ananei* (Él de las nubes) es el Rey Mesías que en el futuro se revelará a sí mismo" (*Targum*: 1 Crónicas 3:24). Literatura del período Segundo del Templo describe al Mesías como "este Hombre", que "volaba en las nubes del cielo" (4 Esdras 13:3). Los sabios identificaron dos marcos de tiempo distintos cuando aparecerá el Mesías: "Si eran justos, el Mesías vendrá en las nubes del cielo; si no eran justos él vendrá como un pobre hombre montado en un asno "(BT *Sanedrín* 98a).

Este es el trasfondo de la "transfiguración" (Mateo 17:1-8): una palabra que significa "resplandeciente con brillo divino." El rostro de *Yeshúa* resplandeció como el sol — como cuando Moisés estuvo cara a cara con Di-s. Las ropas de *Yeshúa* se hicieron blancas como la luz — como las prendas de vestir del sumo sacerdote en *Yom Kippur*.

> Mientras Kefa aún estaba hablando, una nube luminosa los envolvió; y una voz desde la nube dijo: "¡Este es mi Hijo, a quien amo, con quien estoy muy complacido, a Él deben escuchar!"

> (MATEO 17:5)

116   *EL TEMPLO REVELADO EN LA CREACIÓN: EL PERFIL DE LA FAMILIA*

Entonces miré, y allí delante de mí había una nube blanca. Sentado sobre la nube estaba alguien como el *Ben* Ha *Adam*, con una corona de oro en su cabeza, y una hoz afilada en su mano.

(REVELACIÓN 14:14)

¡Qué gusto daba ver a Simón cuando salía del templo, rodeado de todo el pueblo! Brillaba como la luna, como el lucero de la mañana. Resplandecía como el sol, como el arco iris entre las nubes. Cuando se ponía sus ropas de fiesta y subía al altar de nuestro Dios, el Templo se llenaba de luz.

(ECLESIÁSTICO 50:5-7,11)

En su visión, Daniel describe la sala del trono (Daniel 7:9-14) como llamas de fuego, con ruedas de fuego ardiente y una corriente de fuego que fluía de la presencia del Anciano de los Días. Vio a uno semejante al Hijo del Hombre viniendo en las nubes del cielo para acercarse al Anciano de los Días. El Hijo del hombre se le dio la gobernación, gloria y reino. Entendiendo que la nube es el humo del incienso en el Santo de los Santos debería ayudar a aclarar un verso familiar en el libro de los Hechos:

Después de decir esto, fue llevado a lo alto delante de los propios ojos de ellos, y una nube le ocultó de sus vistas. Y cuando ellos estaban con su mirada fija en el cielo, en lo que El desaparecía, de repente vieron dos hombres vestidos de blanco al lado de ellos. Los hombres dijeron: "¡A ustedes Galileos! ¿Por qué están parados aquí con su mirada en el espacio? Este Yeshúa, quien ha sido quitado de ustedes y llevado al cielo, regresará de la misma forma que le vieron ir al cielo.

(HECHOS 1:9-11)

El marco para el libro de Revelación debe ser examinado desde el punto de vista de *Yom Kippur*. El ángel que recibe el incienso es el Sumo Sacerdote, *Yeshúa* el Mesías, el Hijo del Hombre. Él lleva una túnica hasta los pies (una *ketonet* o prendas de vestir sacerdotales) y un cinturón de oro alrededor en su pecho (Revelación 1:13). Cuando la sangre se rociaba sobre el *kaporet* y en el *parokhet* (velo), la expiación estaba completa. Cuando el séptimo sello se abrió, un ángel se sitúa en el altar de oro con una gran cantidad de incienso. El incienso es la cubierta de la ira de Di-s, y el humo es la nube que envuelve al ángel / sumo sacerdote.

Posteriormente (traducción de Barker), el ángel vino y se paró ante el altar con un incensario de oro, y se le dio una gran cantidad de incienso para añadir a las oraciones de todo el pueblo de Di-s en el altar de oro delante del trono. El humo del incienso subió con las oraciones del pueblo de Di-s de la mano del ángel delante de Di-s. Y el ángel tomó el incensario, y lo llenó del fuego del altar y lo arrojó a la tierra y hubo truenos, voces, centelleo de relámpagos, y un terremoto.

(REVELACIÓN 8:3-5)

Esto describe el final *Yom Kippur* y el regreso de *Yeshúa* a la tierra. Tras haber sido entronizado en el Santo de los Santos, representado por la nube, el Mesías ahora emerge para juzgar la tierra, destruir a los enemigos de Di-s, y restaurar el Pacto de la Creación que se había roto.

Después vi a otro ángel poderoso que descendía del cielo. Estaba vestido por una nube, con un arco iris sobre su cabeza; su rostro era como el sol, sus piernas como columnas de fuego; y tenía en su mano un rollo pequeño abierto. Él plantó su pie derecho sobre el mar y su pie izquierdo sobre la tierra.

(REVELACIÓN 10:1,2)

Entonces miré, y allí delante de mí había una nube blanca. Sentado sobre la nube era alguien como un Hijo del Hombre con una corona de oro en su cabeza y una hoz afilada en su mano.

(REVELACIÓN 14:14)

Un tema similar aparece en el relato de la rebelión de Coré contra Moisés y Aarón (Números 16). Moisés instruyó a Coré y sus hombres a tomar sus incensarios de fuego y añadir incienso para probar si eran o no eran dignos de acercarse a Di-s en Su santa morada. Los hombres rebeldes se reunieron a la entrada de la Tienda de Reunión; Moisés y Aarón se separaron de la asamblea profana, y Di-s se dispuso a destruir todos los 250 rebeldes con una plaga. El juicio comenzó en la entrada a la Casa de Di-s por el pecado de *lashón hará* (lengua maligna). "*Aarón* lo tomó como *Moisés* había dicho, y corrió al medio de la asamblea. Allí la plaga ya había comenzado entre el pueblo, pero él añadió incienso e hizo expiación por el pueblo." (Números 16:47).

Después de esto miré, y el Lugar Kadosh (esto es, el Tabernáculo del Testimonio del Cielo) fue abierto, y del Lugar Kadosh salieron los siete ángeles con las siete plagas. Ellos estaban vestidos de lino limpio reluciente, y tenían cintos de oro alrededor de sus pechos. Uno de los cuatro seres vivientes dio a los siete ángeles siete copas de oro llenas de la ira de Di-s, quién vive por siempre y para siempre. Entonces el Lugar Kadosh se llenó de humo de la Shejinah de Di-s, esto es, de Su poder; y nadie podía entrar en el Lugar Kadosh hasta que las siete plagas de los siete ángeles hubieran cumplido su propósito.

(REVELACIÓN 15:5-8)

En el Segundo Templo, la oración acompañaba cada ofrenda y ritual. Fue una parte integral del servicio de incienso regular, así como el servicio de incienso para *Yom Kippur*.

Los agentes de la gente (los *ma'amad* o los que estaban de pie) estaban de pie, oraban y observaban todas las ofrendas. *Rambam* dijo que la intención de los que estaban de pie era su "participación en el servicio Divino y la oración." Ellos oraban para que los sacrificios fueran aceptables a Di-s. Los *ma'amad* que no estaban sirviendo en el Templo durante una semana en particular, o que estaban demasiado lejos de Jerusalén para participar, se reunían en las sinagogas locales para orar en el momento de las ofrendas. "Su reunían por cada una de estas oraciones de estos cuatro servicios y su posición en la oración, súplica y petición y la lectura de la Torá se llama *ma'amad* " (Mishná Torá, *Sefer Avodá* , *Klei Hamikdash* capítulo 6).

El elogio del incienso, y la verdadera oración, su santidad expía nuestros pecados. Un interior de lino, un arreglo de piedras, estaba ceñido con todos estos como un ángel servidor.

(EXTRACTO DE UN POEMA PARA *Yom Kippur*, MA'OM LOEZ)

Una vez, cuando Zejaryah (Zacarías) estaba cumpliendo sus deberes como kohen, durante el período de su división de servicio (la división de ma'amad) delante de Di-s, fue escogido por suertes de acuerdo a la costumbre entre los kohanim, entrar en el Templo y quemar incienso. Todo el pueblo estaba orando afuera en el momento que se quemaba el incienso, cuando se le apareció un ángel de Adonaí, parado a la derecha del altar del incienso.

(LUCAS 1:8-11)

Nuestro Sumo Sacerdote *Yeshúa* proveyó expiación. Roció de su propia sangre en el *kaporet* y *parokhet* en el Lugar Santísimo celestial. Llenó sus propias manos de incienso para protegernos de las consecuencias del pacto quebrantado. Él volverá desde el Santo de los Santos para juzgar al mundo — no sólo para derramar la sangre de sus mártires, sino por toda iniquidad e injusticia hecha a su pueblo. La hora señalada se acerca, y así nuestra única respuesta debe ser arrepentirnos — ¡el Reino de los Cielos está en medio nuestro!

Vendyl Jones fue un famoso explorador, arqueólogo aficionado, y muy posiblemente la inspiración para la película de "*Indiana Jones: Raiders of the Lost Ark* [En Busca del Arca Perdida]" En abril de 1992, Vendyl descubrió un material orgánico de color marrón rojizo sellado dentro de un silo de roca en una sección del recinto de cuevas de Cumrán. Los resultados de las pruebas sugirieron que el compuesto era una mezcla de ocho o nueve de las once especias utilizadas en el *ketoret* del periodo del Segundo Templo. Jones informó que incluso el pelo y la ropa conservaban el aroma fragante durante varios días después del descubrimiento. Dos materiales inorgánicos adicionales fueron encontrados cerca, en la misma cueva fueron: lejía Karsina y sal de Sodoma. La sustancia fue posteriormente analizada por el Instituto de Ciencia Weizmann, así como por dos departamentos en la Universidad *Bar*-Ilan en Israel. Más de 600 libras de polvo fueron finalmente retiradas de la cueva. Los críticos, sin embargo, siguen afirmando que era sólo tierra.

✡   ✡   ✡

El Santo de los Santos

El Santo de los Santos representaba la eternidad donde Di-s fue entronizado en medio de Su creación. Desde Su trono, la luz se extendía a los cuatro rincones del mundo. Incluso las ventanas en el Templo se construyeron amplias en el interior y estrechas en la parte exterior de modo la luz podría irradiarse ligeramente hacia el exterior (1 Reyes 6:4). Aunque el Santo de los Santos estuvo vacío en el Segundo Templo, se dice que "en el tiempo del Mesías se restaurarán los muebles que faltan en el [Santo de los Santos] del Segundo Templo: el arca, el fuego (incienso), los querubines, el Espíritu y la menorá" (Barker 2011: 99). Todo el mobiliario se conecta a la luz del *Yom Echad* — Un Día.

> No vi ningún templo en la ciudad de Adonaí, El Shaddai, es su Templo, tal como lo es el Cordero. La ciudad no tiene necesidad de sol ni de luna que resplandezca sobre ella; porque la *Shekinah* (presencia permanente) de Di-s la ilumina, y su lámpara es el Cordero.
>
> (REVELACIÓN 21:22,23)

Yom Ejad (Un Día), la Nueva Jerusalén, y el Santo de los Santos son términos sinónimos. En el Templo de Salomón, el Santo de los Santos se construyó como un cubo — de veinte codos de longitud, de ancho y alto todo cubierto de oro. Por lo tanto, es probable que no sea casual que la descripción de Juan de la ciudad celestial, la Nueva Jerusalén, también sea en la forma de cubo. Las paredes del Primer Templo exhibieron grabados en madera de cedro de querubines chapados en oro, palmeras y flores floreciendo. La puerta de madera de olivo en la cámara interior tenía grabada las mismas imágenes de oro. Los dos querubines de madera de olivo, colocados en el interior del Santo de los Santos, tenían "alas que se extendían de modo que el ala de uno tocaba una pared, y el ala del otro tocaba la otra pared" (1 Reyes 6:27). El rey Salomón colocó el Arca del Pacto, que contenía las tablas de piedra, debajo de los querubines dentro de la cámara interior. El *kaporet* se colocó en lo alto del arca como el trono, y aparecía la Presencia de Di-s entre los querubines. Josefo describe el Santo de los Santos del Segundo Templo cubierto en oro. Las paredes y columnas exteriores del Templo eran de mármol blanco que representa "la vista del firmamento". Josefo dijo, "Pero este Templo pensaban los extraños mientras se acercaban, parecía a lo lejos como una montaña cubierta de nieve; pues cualquier parte que no estaba cubierta en oro era deslumbrantemente blanca " (Josefo *Las Guerras de los Judíos* 5.223).

La luz era una característica clave del Templo. La *menorá* se parecía a "un árbol de vida, un árbol de luz, y un árbol de fuego"."Era a través de la menorá que el lazo interno establecido a través de la ofrenda de incienso irradiaba en todo el mundo" (*El Altar de Incienso y la Menorá* Chabad.org). El encendido de la *menorá* se conectaba con la ofrenda de incienso todos los días en el Tabernáculo. Cada mañana y tarde, Aarón, el primer sumo sacerdote, quemaba incienso aromático sobre el altar de oro delante de la cortina. Le fue ordenado quemar el incienso cuando preparaba las lámparas de la *menorá* (Éxodo 30:6-8).

En medio del santuario de jardín (Génesis 2:9), estaba el Árbol de la Vida — la *luz* del mundo. En la visión de Juan en el libro de Revelación, *Yeshúa* dice: "Al que prevalezca le daré el derecho a comer del Árbol de la Vida, que está en medio del Paraíso de Di-s" (Revelación 2:7). La *menorá* o candelabro de siete brazos, era el símbolo de luz en el Templo. En Revelación, Juan describe la *menorá* estando en el "medio del huerto." Él dice esto sabiendo que en el Segundo Templo la *menorá* se encontraba en el Lugar Santo — no en el Santo de los Santos.

> Y en medio de los árboles de la vida, en ese lugar donde descansa el Señor, cuando va al paraíso; y este árbol es de inefable bondad y fragancia, y está adornado más de todo lo existente; y en todos los lados [es] en forma de oro y bermellón y como fuego lo cubre todo, y produce fruto de todas las frutas. Su raíz está en el jardín en el extremo de la tierra.
>
> (2 ENOC 8:3, 4)

Las descripciones de la *menorá* (Éxodo 25:31-40; 37:17-24) sugieren que se parecía a un árbol porque sus ramas, hojas, pétalos y flores de almendro se extendían de un tronco central. Philo pensó que la *menorá* era el Árbol de la Vida en el jardín y que el asta central representaba al rey: un ser angelical en el

Tabernáculo celestial cuyo papel fue ejemplificado por el sumo sacerdote en el Templo terrenal. Las siete lámparas, simbolizan siete ojos, y fueron montados de tal manera con el fin de dar luz al espacio directamente delante del velo que llevaba al Santo de los Santos.

En el Antiguo Medio Oriente, un árbol de la vida era un símbolo ritual tanto para un dios y un rey (Widengren: 1951). La *menorá* fue el símbolo de la Presencia Divina. Clemente de Alejandría sugirió que *Yeshúa* el Mesías era la *menorá* ligado al árbol real. Barker propone que la lámpara del Templo representaba la presencia de Di-s con Su pueblo y que era el símbolo de dinastía. En el libro de Revelación, el Hijo del Hombre se encuentra entre los siete candeleros. Está vestido como un *sacerdote* que llevaba el *ketonet* (la túnica sacerdotal de manga larga) y un cinto de oro en su pecho. Como un vínculo entre la revelación de Juan y la visión de Enoc, Enoc vio un árbol de oro y fuego de gran tamaño en el jardín. Se identificó como el Árbol de la Vida que originalmente se encontraba en el santuario jardín.

Así era la apariencia de las criaturas vivientes. Con ellos había algo que lucía como carbones ardientes encendidos como antorchas, con el fuego resplandeciendo aquí y allá entre las criaturas vivientes; el fuego tenía una brillantez, y del fuego salían relámpagos. Las criaturas vivientes se mantenían corriendo de aquí para allá como ráfagas de relámpagos.

(EZEQUIEL 1:13,14)

Esta línea de pensamiento permite otra perspectiva de la zarza ardiente. Cuando el Ángel del Señor se le apareció a Moisés en la montaña de Di-s, un fuego se quemaba dentro de una *sinaí* (una zarza de espinos). A pesar de que la zarza estaba envuelta en llamas, ésta no se consumía. Esto es probablemente una imagen del Árbol de la Vida, de la *menorá* de siete brazos, con sus copas de aceite de unción ardiendo en medio del santuario del jardín — tierra sagrada. Curiosamente, los sacerdotes que servían en el recinto del Templo no podían usar calzado.

> Y el ángel del Señor se le apareció en fuego ardiente en medio de una zarza. El miró, y vio que la zarza ardía en fuego, y la zarza no se consumía. Él dijo: "¡No te acerques más! Quita tus sandalias de tus pies, porque el lugar donde estás parado es tierra santa".
>
> (ÉXODO 3:2,5)

Los compañeros de Daniel fueron arrojados a un horno de fuego en el que no fueron consumidos por el fuego. El horno se compara con el Santo de los Santos — el jardín del santuario donde la *menorá* estaba en pie. El pacto de *Avraham* con Di-s, se confirmó a través de un horno humeante y una antorcha encendida que pasaron entre las mitades de los animales, expresando un cuadro similar relacionado con el incienso y la menorá.

> Temblando y palpitando caí sobre mi rostro y se me reveló una visión: He aquí que vi una puerta que se abría delante de mí y otra casa que era más grande que la anterior, construida toda con lenguas de fuego. Toda ella era superior a la otra en esplendor, gloria y majestad, tanto que no puedo describiros su esplendor y majestad. Su piso era de fuego y su parte superior de truenos y relámpagos y su techo de fuego ardiente. Me fue revelada y vi en ella un trono elevado cuyo aspecto era el del cristal y cuyo contorno era como el sol brillante y tuve visión de querubín. Por encima del trono salían ríos de fuego ardiente y yo no resistía mirar hacia allá. La Gran Gloria tenía sede en el trono y Su vestido lucía más brillante que el sol y más blanco que cualquier nieve; ningún ángel podía entrar verle

la cara debido a la magnífica Gloria y ningún ser de carne podía mirarlo. Un fuego ardiente le rodeaba y un gran fuego se levantaba ante Él. Ninguno de los que le rodeaba podía acercársele y multitudes y multitudes estaban de pie ante Él y Él no necesitaba consejeros.

(1 ENOC 14:14-22)

Así que estos hombres fueron atados en sus mantos, túnicas, capas y otras ropas y echados en el fiero ardiente horno. Y Nabucodonosor los oyó cantando alabanzas; y él se preguntó y se levantó asombrado de prisa, y dijo a sus nobles: "¿No echamos en el medio de las llamas a tres hombres atados?" Ellos respondieron al rey: "Sí, claro que sí, O rey." Y el rey dijo: "¡Miren! ¡Yo veo cuatro hombres sueltos, caminando en medio de las llamas, y ningún daño les ha sobrevenido; y la apariencia del cuarto es como el Hijo de *Elohim*! Entonces estaban reunidos los gobernantes y capitanes, y los jefes de provincias, y los príncipes; y ellos vieron a los hombres, y percibieron que el fuego no había tenido poder contra sus cuerpos, y el pelo de sus cabezas no estaba quemado, y sus vestiduras no estaban abrasadas, ni había olor a fuego en ellos.

(DANIEL 3:21, 91, 92,94)

El libro de Proverbios describe la Sabiduría como un árbol de la vida, afirmando que, "todo aquel que se aferra a ella se hará honorable" (3:18). Era un árbol cuyo fruto dio sabiduría, cuyas hojas eran para la sanidad, y cuyo aceite se utilizó para abrir los ojos de los ciegos. Ella representó el buen fruto que proviene del Pacto de la Creación restaurado — descrito "a veces como el Espíritu y, a veces como justicia" (Barker 2010: 250). Un Tárgum de Génesis sugiere que el *Etz Jaim* (Árbol de la Vida) fue la Torá vinculada a la Sabiduría. La Torá, escrita en tablas de piedra que contiene las palabras vivas de Di-s que usó para crear el universo, se esconde en el interior del arca: el Oráculo de Di-s. *Yeshúa* es la Torá viviente que descendió del santuario celestial. Él es el Árbol de la Vida, la *menorá*: un símbolo para ambos, Dios y Rey. Es el Sumo Sacerdote ungido y el Hijo del Di-s viviente. Tanto la Biblia y la tradición del Templo describen al Sumo Sacerdote como el "ungido" (Éxodo 30:30): el *Mashiaj* (Mesías).

Los sabios comparan a menudo los elementos del Templo a las partes del cuerpo humano. Este es un tema muy complejo que se discutirá con más detalle *en El Templo Revelado en las Tiendas de los Patriarcas*. Por ahora, propongo que el Templo fue el modelo de la cabeza de un ser humano: el Lugar Santo siendo la cara, la menorá los ojos, la mesa del pan de la presencia la boca, el altar del incienso la nariz, y el Santo de los Santos el cráneo con sus dos cortinas que representan la doble membrana del cráneo o sus dos hemisferios craneales. De acuerdo con este modelo, el Arca del Pacto es el cerebro del cuerpo del Templo.

En el centro del cerebro humano, entre los dos hemisferios, hay una glándula pequeña, en forma de pino de piña llamada pineal. La glándula pineal regula la luz en el cuerpo y controla una variedad de funciones incluyendo los patrones de sueño y el ciclo reproductivo. Pineal viene de la palabra francesa para pinecone y la palabra latina para el pino de árboles — *pinus*. Los árboles de pino llevan conos masculinos y femeninos. En el mundo antiguo, los conos eran considerados como la fuente de la vida y un símbolo de la unidad entre hombres y mujeres. Las culturas del *AMO* veían los pinecones como símbolos de vida eterna, y reverenciaban la glándula pineal como el órgano "dios". En estas culturas, los pinecones polinizaban su "árbol de la vida." Las antiguas tallas de los palacios asirios muestran una figura de cuatro alas que sostiene los pinecones. Estos eran símbolos de la "semilla mística" conectando los mundos físico y espiritual. La glándula pineal era el antiguo símbolo de la iluminación humana y el centro espiritual del cerebro que abría los ojos para ver más allá de la realidad física. Llamado el tercer ojo, la glándula pineal es conocida como el almacén de la imaginación y está vinculada a la zona del cerebro que implica el razonamiento, el intelecto y la intuición.

La palabra hebrea para el pino es oren. Las mismas letras hebreas forman la palabra aron: arca. El árbol de pino era el *etz Shemen*: el árbol de aceite en los escritos del Segundo Templo relacionados con la menorá. Las mismas letras vinculan el arca (*haAron*) al sumo sacerdote (*Aharon*). Aarón fue el primer sumo sacerdote de los levitas para realizar los servicios de sangre e incienso en *Yom Kippur* delante del arca en el Santo de los Santos. *Aron* (arca) también se forma a partir de dos palabras: *or* y *nun*. Or significa luz y *nun* semillas (o pescado en arameo). *Nun* es también un nombre para el Mesías que es llamado *Mesías Ben Nun*: hijo de pescado/ hijo de la semilla continua.

Aprender a reconocer el propósito y el significado de los elementos del Templo como el Santo de los Santos, el arca, el sumo sacerdote, la menorá, los querubines, las ofrendas de animales, y el servicio de sangre e incienso es clave para entender la expiación hecha por el Mesías. El Nuevo Testamento, en particular, el libro de Revelación, está lleno de metáforas y alusiones relacionadas al servicio de *Yom Kippur*. Sin un conocimiento práctico del lenguaje del templo y su iconografía, muchas cosas no tendrán sentido. Esto puede dar lugar a interpretaciones erróneas. En la última sección de este capítulo, vamos a ver un par de ejemplos bíblicos familiares donde la iconografía del Día del Señor (*Yom Kippur*) pudo haber sido pasada por alto.

Una Vista Decididamente Diferente

El Nuevo Testamento/Nuevo Pacto es el Pacto la Creación restaurado. Este mensaje de restauración a menudo se comunica a través de parábolas — un método que *Yeshúa* utilizó cuando enseñaba sobre el reino. Aunque muchas de sus parábolas eran historias bien conocidas por su público, *Yeshúa* siempre le dio un giro diferente a la frase clave. Esto hacia que la multitud se sentare y pusiera atención.

Una parábola es un proverbio. Del hebreo *mashal* (que significa gobierno, dominio o reino), parábolas/proverbios son parte del género de la literatura de sabiduría y fueron el idioma del Santo de los Santos: el mundo detrás del velo. La Sabiduría está simbolizada por la *menorá*, el "Árbol de la Vida (Proverbios 3:18) para aquellos que la alcanzan." Para aquellos que lo hacen, "serán hechos honorables en el reino."

La visión de Pedro del lienzo que descendía del cielo (Hechos 10:9-29) y la parábola de las diez vírgenes que tomaron sus lámparas de aceite para esperar al novio (Mateo 25:1-13) son ambas lecciones sobre el Día del Señor. Un tema principal en cada ejemplo es el ministerio del sumo sacerdote en *Yom Kippur*. Sin embargo sin el conocimiento del servicio del Templo, los paralelos son fáciles de perder.

En *Yom Kippur*, el sumo sacerdote se sumergía un total de cinco veces. Cuatro de estas cinco *tevillah* (inmersiones) se llevaban a cabo en el techo de la cámara *Parvah*. Este *mikveh* (baño de inmersión) fue construido en la azotea exclusivamente para su uso en ese día. El techo de la cámara *Parvah* no sólo mantenía el mismo nivel de santidad al atrio interior del Templo, pero también fue diseñado específicamente para las inmersiones del sumo sacerdote. El significado de *Parvah* es desconocido, pero probablemente estaba conectado a *parah*, vaca, ya que las pieles de los animales para el sacrificio se curtían y se mantenían allí para los sacerdotes. Quien estuviese en el tejado era visible para los que estaban en el atrio interior, los sacerdotes levantaban una sábana blanca hecha de un material costoso. Esto permitía que el sumo sacerdote tuviera un poco de privacidad mientras se sumergía en el *mikveh*, se secaba con la misma sabana, y se vestía con sus ropas de lino blanco. La sábana de lino le recordaba que iba a realizar el servicio de expiación de *Yom Kippur* — vestido de ropas blancas de lino (*Mishná Yoma* 3.4) recordativo a los ángeles.

La clave para descifrar la visión de Pedro se encuentra en el propósito y el significado de la sábana de lino. Pedro recibió la visión durante su estancia en la casa de Simón el curtidor en Jaffa. La casa de Simón estaba junto al mar Mediterráneo — un lugar ideal para inmersiones. Muchos han llegado a creer que el proceso de curtido causaba impureza ritual. Según Isaac Oliver, sin embargo, "El contacto con cadáveres de animales kosher que fueron sacrificados ritualmente no transmitían impureza ritual." Adicionalmente, la *Mishná* establece que siempre que las pieles no tuvieran carne adherida a ellas (o carne que era más pequeña que el tamaño de una aceituna) ninguna impureza era transmitida (BT *Chullin* 9.4). Por lo tanto no hay ninguna indicación que el curtido de pieles causaba algún tipo de impureza ritual. No obstante, por razones de higiene y debido a su baja posición socioeconómica, el curtido era realmente mal visto por la cultura. Los rabinos encontraban la profesión moralmente desagradable.

Mientras Pedro estaba orando en el techo de la casa del curtidor, el vio el cielo abierto; el velo celestial se retiró para revelar el Santo de los Santos. La primera conexión a *Yom Kippur* se encuentra aquí: antes de que el sumo sacerdote entrara al Lugar Santísimo, él oraba, se sumergía, y se cambiaba de ropa en el techo de la cámara del bronceado del Templo. Entonces una voz le dijo al hambriento Pedro que matase y comiera. Este es un lenguaje de templo que describe los sacrificios de animales que eran alimento para los sacerdotes. Pedro vio una gran sábana de lino blanco descendiendo del cielo sostenida por las cuatro puntas. Los sacerdotes sujetaban una sábana de lino por sus esquinas para darle privacidad al sumo sacerdote. En la sábana, Pedro vio todo tipo de animales impuros: cuadrúpedos, reptiles y aves silvestres. El mensaje que se transmite no era ni el repudio a las leyes de impureza ritual, ni la aprobación del consumo de alimentos no kosher. El mensaje era que los gentiles que creyeron en *Yeshúa*, que eran considerados impuros a causa de su impureza ritual, se

habían hecho ritualmente puros. Vestido con su ropa de resurrección, las prendas de lino blanco del sumo sacerdote, *Yeshúa*
hizo expiación en el Lugar Santísimo celestial. La visión de
Pedro no era ejercer juicio sobre los alimentos; tampoco fue un
intento de desacreditar los sacrificios en el Templo. El mensaje
del Reino era asegurar que todos los que recibieron expiación
por medio de la fe entrarían a la eternidad vestidos de prendas
blancas finas.

En una línea similar, la parábola de las diez vírgenes
describe la procesión del sumo sacerdote al Templo: su viaje
que se hacía siete días antes de *Yom Kippur*. En la mañana de
la procesión, los funcionarios llegaban a la casa del sumo sacerdote en Jerusalén con el fin de orar, instruir y aconsejarle acerca
de los servicios importantes del día. Cuando se disponían a
partir hacia el Templo, un grito resonaba y reunían al pueblo
para rendirle honor al sumo sacerdote. La procesión era acom-
pañada de una gran fanfarria y celebración. Los que vivían
en Jerusalén salían de sus hogares y usaban ropas blancas
llevando velas y antorchas encendidas. Cada ventana estaba
decorada con lámparas iluminadas. Un pregonero anunciaba
a la gente que dieran honor a la Casa de David y a la Casa
de Levi. Los que tenían estatus más alto caminaban más cerca
al sumo sacerdote. Los descendientes de los reyes de Israel
caminaban primero. Detrás le seguían los cantores, músicos,
y trompetistas. Luego venían los que preparaban el incienso y
hacían el pan; luego los guardias y los tesoreros del Templo. El
Sanedrín luego se unía a la procesión seguido por 250 sacerdotes. Cada sacerdote caminaba con un bastón en mano para
despejar el camino para el sumo sacerdote que era el último
en marchar. Muchas veces la procesión continuaba hasta bien
pasada la medianoche, y la mayoría llevaban antorchas para
iluminar el camino hacia el Templo. Una vez que el sumo
sacerdote llegaba a la puerta del Templo, se dirigía a la Cámara
Palhedrin donde estaría segregado por los próximos siete días.
En el primer día de su servicio, entraba al santuario sagrado

para encender cinco de las siete lámparas de los brazos de la *menorá*. Un poco más tarde preparaba las últimas dos.

El reino de los cielos es semejante a diez vírgenes que tomaron sus lámparas para esperar al novio. En su recorrido hacia la puerta del Templo, el sumo sacerdote representaba el novio. Los que servían en el Templo —los sacerdotes y levitas— eran las diez vírgenes. El Santo Templo en sí era la novia, y el Santo de los Santos era la cámara nupcial/matriz donde se consumía el matrimonio y se producía nueva vida. En la parábola narrada por *Yeshúa*, cinco vírgenes no llevaban aceite para servir las lámparas de la menorá, mientras que las otras cinco tenían sus frascos preparados. Cuando el novio tardó en llegar, todas se durmieron. De repente, en medio de la noche, el pregonero gritó, "¡El novio está aquí! ¡Salgan a su encuentro!" Las cinco con aceite eran los sirvientes del Templo que estaban listos para llevar a cabo sus servicios. El aceite en sus lámparas representaba la Sabiduría derramada en la forma del Espíritu debido al ministerio de *Yeshúa* en el Lugar Santísimo celestial.

Esperemos que estos dos ejemplos pongan de manifiesto la importancia de comprender las imágenes del Templo. Esto es especialmente cierto con respecto al lenguaje de *Yom Kippur*: el Día de Expiación. La Biblia se refiere a *Yom Kippur* como el "Día del Señor"— una expresión usada por los patriarcas, profetas, místicos, y escritores del Nuevo Testamento. *El Día* es la redención final, la restauración de la creación, y el cumplimiento del trabajo expiatorio de *Yeshúa*.

Mientras escribía este capítulo, tuve un sueño en el que vi un gran muro de ladrillo rojo que alcanzaba el cielo. Poco a poco, una mano invisible comenzó a quitar cada ladrillo, uno por uno, hasta que una pareja de ancianos —vestidos con el atuendo de los judíos de 1940— atravesaron la abertura. La pareja al parecer, había sobrevivido la persecución y la devastación de la Segunda Guerra Mundial escondiéndose en este lugar secreto.

La mujer llevaba una grande carpeta de manila llena de documentos escritos a mano. Sin decir una palabra, me entregó el archivo que parecía contener información detallada sobre lo que habían sobrevivido. Cuando nos sentamos juntos a la mesa de la cocina, les hice un sin número de preguntas — preguntándoles por la comida y el agua de almacenamiento, electricidad, todo lo relacionado con la supervivencia física. La mujer fue la única que habló. Aunque sus respuestas parecían imprecisas y poco útiles, de alguna manera finalmente entendí. El lugar secreto, detrás de los ladrillos, era como el santuario en el Cantico de Moisés del Mar. Se les había escondido en el refugio de Di-s Todopoderoso en Su Santuario Celestial: el mundo fuera del tiempo. El caos, la muerte y el tumulto nunca los alcanzó. Los documentos eran cartas escritas a mano por los patriarcas y matriarcas que explicaban cómo caminaban con Di-s en tiempos de dificultades. A pesar de que en realidad nunca leí los documentos, instintivamente sabía que lo que contenían se podía encontrar en otro lugar: la Torá viviente de Di-s.

Una oración especial incluida en el Sidur del servicio de incienso se llama *Ana Beko'ach*. Comienza, "Te rogamos que con la fuerza de la grandeza de tu mano, desates los pecados amarrados." *Ana Beko'ach* se recita durante las horas de oración de la mañana y de la tarde. La oración entera contiene cuarenta y dos palabras que representan tanto el nombre místico de Di-s y las cuarenta y dos paradas donde Israel acampó en el desierto y Su Divina Presencia descansó.

Cuando Di-s mora en medio de nosotros, vamos a *conocer* la verdadera paz, independientemente de las tormentas que se desaten a nuestro alrededor. Pero Él requiere que "escuchemos" y "obedezcamos", que lo busquemos en Su Santo Santuario, y que busquemos su Reino por encima de todo. Por lo tanto, con un corazón lleno de gratitud y agradecimiento, establezca su apego a las cosas de arriba. ¡El Día del Señor, *Yom Kippur*, se acerca! En ese día, *Yeshúa* juzgará a las naciones. Una vez por todas, finalmente seremos liberados de la carga del pecado y la muerte.

CAPÍTULO CINCO

DI-S Y SU NOVIA

Feliz (ashrei) es el hombre que ha encontrado
sabiduría, y el mortal que conoce la prudencia.
She is a tree of life to those who grasp her; Ella
es árbol de vida para aquellos que la agarran;
whoever holds fast to her will be made happy (ashrei).
cualquiera que se aferre a ella será ayuda segura (ashrei),
como en Adonai. (Proverbios 3:13,18)

Ninguna familia está completa sin el verdadero "poder detrás del trono": la esposa y madre de la casa. Ella es el corazón y el alma de la familia y la gerente de operaciones que supervisa el funcionamiento ordenado de la casa. ¡Sus responsabilidades son infinitas! Ella es la mujer de Proverbios 31 — logrando éxito tanto en el hogar y en los negocios asegurándose de que su hogar sea caritativo. Ella es la maestra, cuidadora, consoladora y protectora que provee estabilidad emocional de su familia. Ella crea un ambiente de amor y armonía espiritual para animar el crecimiento personal de cada miembro. Ella es siempre optimista — confiada, inteligente y amable. Ella es elogiada tanto por su fuerza práctica y espiritual. Ella es incesante en reforzar el papel de su marido como un líder en la comunidad. Ella es la *Eishet Chayil*, Mujer Virtuosa, cuya luz nunca se apaga. "Su boca se abre con sabiduría, en su lengua hay instrucción amorosa" (Proverbios 31:26). Sus virtudes para construir su casa; ella es una mujer que teme al Señor.

Proverbios 31 es una alegoría acerca de una mujer llamada Sabiduría. Ella era la esposa noble del rey. En sentido literal, fue escrito como un tributo a Betsabé: la esposa del Rey David y madre del Rey Salomón. En un nivel más profundo y alegórico, la Mujer Virtuosa personifica el Espíritu de Sabiduría. Es "La sabiduría se ha edificado una casa" (Proverbios 9:1). Philo se refiere a Di-s como el esposo de la Sabiduría (*On the Cherbim* 43-44) y declaró: "Di-s es a la vez una casa, la morada incorporal... el esposo de la sabiduría, sembrando para la carrera de la humanidad la semilla de la felicidad en el bien y en suelo virgen" (49). "Adán fue hecho por medio de dos vírgenes — a través del espíritu y por tierra virgen" (Evangelio de Felipe 74). Literatura extra bíblica del primer siglo muestra a la Sabiduría y al Espíritu Santo como uno mismo (Sabiduría de Salomón 9:17).

En el libro de Proverbios, la Sabiduría se revela como co-creadora con su esposo, Di-s. "Di-s por sabiduría fundó la tierra, por entendimiento, estableció los cielos" (Proverbios 3:19).

Adonaí me hizo como el principio de su senda, la primera de las obras antiguas. Yo fui establecida antes que el mundo, antes del comienzo, antes que los principios de la tierra. Cuando fui criada, no había profundidades en los océanos, ninguna fuente que fluyera agua. Fui engendrada antes que las colinas, antes que las montañas se establecieran en su lugar; Él aún no había hecho la tierra, los campos, ni aun los primeros granos de polvo de la tierra. Cuando Él estableció los cielos, yo estaba allí con Él. Cuando Él trazaba el círculo del horizonte sobre el abismo, cuando Él puso los cielos arriba en su sitio, cuando las fuentes del abismo fluyeron, cuando Él prescribió los límites del mar, para que las aguas no trasgredieran su mandato, cuando Él marcó los fundamentos de la tierra. Yo estaba con Él cómo alguien en quien Él podía confiar. Para mí, todos los días son pura delicia, mientras jugaba en su presencia todo el tiempo,

(PROVERBIOS 8:22-30)

Se despliega vigorosamente de un confín al otro del mundo y gobierna de excelente manera el universo. Yo [Salomón] la amé [sabiduría] y la pretendí desde mi juventud; me esforcé por hacerla esposa mía y llegué a ser un apasionado de su belleza. Realza su nobleza por su convivencia con Di-s, pues el Señor Soberano la amó. Pues está iniciada en la ciencia de Di-s y es la que elige sus obras. ¿Amas la justicia? Las virtudes son sus empeños, pues ella enseña la templanza y la prudencia, la justicia y la fortaleza: lo más provechoso para el hombre en la vida. ¿Deseas además gran experiencia? Ella conoce el pasado y conjetura el porvenir, sabe interpretar las máximas y resolver los enigmas, conoce de antemano las señales y los prodigios, así como la sucesión de épocas y tiempos. Decidí, pues, tomarla por compañera de mi vida, sabiendo que me sería una consejera para el bien y un aliento en las preocupaciones y penas.

(SABIDURÍA 8:1-4,7-9)

La sabiduría era el "entendimiento" que levantó la voz y dijo palabras que eran justas y verdaderas; ella era mejor que las perlas, y ella fue nombrada antes del mundo — antes de los inicios tierra. Ella estaba allí cuando Di-s creó los cielos, y ella misma construyó una casa labrada con siete columnas. Ella fue la fuerza que da vida, el poder de Di-s, el agente de la creación, y la madre de todos. Para la "Casa de Jacob significaba la madre de la creación" y "gracias a la madre el mundo mismo es sostenido y toda la creación se convierte en un lugar de residencia; "gracias a la madre, la creación tiene sentido".

(PATTERSON 2005: 23)

Rashi dice que es a través de la madre que la Torá, la Sabiduría al universo, fue dada. "Dando vida al mundo, llevó la Torá al mundo." *Midrash Proverbs* (uno de los primeros comentarios canónicos del siglo noveno EC) afirma que "la Sabiduría" apunta a la Torá.

El libro de Proverbios, Mishlei en hebreo, es parte del género de la literatura de sabiduría. El Tárgum Arameo llama la Sabiduría "una mujer diestra" con talentos relacionados a las actividades de construcción de casas/templo. In the verse, En el verso, "Ella considera un campo y después lo compra, y de sus ganancias planta una viña" se encuentra, el idioma figurativo de construcción de templos (Proverbios 31:16). "Ella está vestida de lino fino y púrpura" trae a la mente las prendas de vestir tejidas del sumo sacerdote e invoca la representación del velo delante del Santo de los Santos. El Templo descrito en Revelación 17:4 se llama "la ramera" — corrupto por el liderazgo sacerdotal. Al igual que el sumo sacerdote, la ramera está "vestida de púrpura y escarlata" — con oro brillante, piedras preciosas y perlas. A lo largo del Libro de Proverbios, la esposa noble y sabia se contrasta con la ramera tonta.

Algunos atribuyen la alegoría de la Mujer Valerosa a Sara, esposa de *Abraham*, mientras que otros sugieren que esta honrada mujer es representativa de todas las mujeres del Antiguo Testamento — las matriarcas en particular. Las matriarcas eran básicamente, responsables de la construcción de la casa más grande de todas: Israel.

El inocente y no-engendrado Adán, siendo al tipo y semejanza del Di-s Padre Todopoderoso... Su hijo engendrado
[Seth] sombreado a la imagen del Hijo engendrado y la
palabra de Di-s; mientras que Eva significaba la persona y
la procesión del Espíritu Santo.

(CITADO EN BARKER, ANTI-NICENE FATHERS VOL. 6: 402)

La *Shekinah* en el tiempo de Abraham, nuestro padre se
llamaba Sara, y en el tiempo de Isaac nuestro padre se
llamaba Rebecca, y en el tiempo de Jacob nuestro padre se
llamaba Raquel.

(GIKATILLA 1994: 204)

Cada viernes por la noche en los hogares judíos, el esposo
recita *Eishet Chayil* (Proverbios 31, la Mujer Virtuosa) sobre
su esposa. Se sienta a la mesa como una reina, mientras que
los que la rodean le cantan alabanzas. Los estudiosos dicen
que esta costumbre data de los Cabalistas del siglo XVII que
vieron el *Shabbat* (sábado) como un tiempo para la "unión
mística" entre Di-s y Su Reina. Esta Reina es la *Shekinah*, la
presencia divina, a quien también se le atribuye el Proverbio
de la Mujer Virtuosa.

Los sabios del Talmud prevén la *Shekinah* como una
esencia espiritual de indescriptible belleza. Quizás esta es
la razón por que las matriarcas también se describen como
especialmente hermosas. En el *Tanaj* (AT), los nombres
de las mujeres a menudo describían el funcionamiento del
Espíritu Santo. *Sarah* es la princesa, *Rebecca* es un yugo que
une a dos, y *Raquel* es la ruta prescrita de aprendizaje. *Séfora*
(esposa de Moisés) es el pájaro celeste, *Yochebed* (madre de
Moisés) es la gloria de Yah, y *Miriam* (hermana de Moisés)
es la mirra del aceite de la unción. De las parteras de Moisés,
Púa es la voz suave y calmada, *Shaphar* es la que embellece
los bebés recién nacidos. *BatSheva* (Betsabé) es la hija de

siete del Espíritu séptuple, *Elisheva* (Elizabeth) es "mi Di-s es siete," *Malkat Sheva* (la Reina de Saba) es la Reina de los Siete, y *Deborah* es el *Debir*: el Santo de los Santos. En conjunto, estas mujeres presentan un poderoso cuadro del co-creador de la Casa de Di-s: el Espíritu Santo.

En el *AMO*, un dios y su consorte se instalaban en su nuevo templo construido. Su boda sagrada era una dedicación del templo de siete días, y la unión de la pareja garantizaba la fertilidad de la tierra y la fecundidad de la gente. El Santo de los Santos, el mundo fuera del tiempo, es el santuario interior del Templo cósmico donde Dios reside con Sabiduría, Su Novia. Juntos, Di-s y Sabiduría crearon el mundo. De acuerdo con el Evangelio de Felipe, el Santo de los Santos es la cámara nupcial, donde nació el hijo. Es el lugar de la luz divina, y un gran fuego apareció en el nacimiento del hijo:

> El Padre de todos unido a la virgen que bajó y un fuego brilló para él en ese día. Apareció en la gran cámara nupcial. Por lo tanto, su cuerpo entró en vigor ese mismo día. Dejó la cámara nupcial como alguien que entró en vigor a partir del novio y la novia... los misterios de este matrimonio son perfeccionado más bien en el día y en la luz. Ni ese día ni su luz se ponen nunca. Si alguien se convierte en un hijo de la cámara nupcial, recibirá la luz.
>
> (EVANGELIO DE FELIPE 71)

De las alegrías del matrimonio y el nacimiento, a los dolores de la muerte y la pérdida, las historias que rodearon las familias del Antiguo Testamento ilustran la difícil situación de cada familia. Junto a su disfunción, y las relaciones inter-personales revoltosas, vinieron grandes éxitos y bendiciones a través de su progenie. Sus historias reflejan la vida en el ámbito práctico y hacen alusión a algo más profundo en el reino espiritual. La comprensión más profunda es lo que define una parábola/proverbio: una historia o un acertijo con dos significados — uno simple y otro oculto.

Yeshúa enseñó en parábolas. Compartió el entendimiento común con el pueblo, pero explicó el significado oculto a sus discípulos: "A ustedes les ha sido dado conocer los secretos del Reino de Di-s, pero a ellos no les ha sido dado" (Mateo 13:11). "Escucha mi pueblo, a mi Torá; vuelve tus oídos a las palabras de mi boca. Te hablaré en parábolas y misterios ocultos desde la antigüedad" (Salmo 78.2).

Las bien aventuranzas (Mateo 5:3-10) son parábolas, enseñanzas sobre el reino y el mundo más allá del tiempo. En hebreo, la bienaventuranza es *ashrei* y se traduce "feliz es," "elogiado es", "oh la alegría de", u "honorable es." El mensaje de *ashrei* es que el honor y la alegría vienen a los que habitan en la casa de Di-s y siguen sus instrucciones. Salmo 145 es llamado de *Ashrei*, y el Talmud (*Berajot* 4b) establece que aquellos que lo recitan tres veces al día se les asegura un lugar al Mundo por Venir.

> *Ashrei* son los que habitan en tu casa; que siempre te alaben, ¡Selah! *Ashrei* son las personas para las que esto es así, ashrei es el pueblo cuyo Di-s es el Señor.
>
> (BENDICIÓN DE SALMO 145).

La raíz de *ashrei* es *asher*, que significa "recto". Por lo tanto, uno que es feliz vive una vida recta en el camino recto y estrecho. *Ashrei* está siempre conectado al Templo y al reino. "*Ashrei* son los de camino perfecto, los que andan con la Torá de Di-s" (Salmo 119:1). "*Ashrei* son los que lavan sus ropas, para tener derecho al árbol de la vida, y entrar por las puertas en la ciudad" (Revelación 22:14). Los Proverbios y las parábolas son instrucciones para el funcionamiento correcto de la casa. Este conocimiento trae alegría a una vida fructuosa y representa la obra y el ministerio del Espíritu Santo. *Asherah* and the Ancients

Asera y los Antiguos

Asera también viene de la raíz *asher*. La diosa Asera tenía una historia muy legendaria; se transformó en múltiples formas y se le dio una variedad de nombres en las culturas del *AMO*. Cuando los antiguos hebreos se asentaron en la tierra de Canaán, se ciñeron de esta diosa de la fertilidad como parte de sus prácticas de culto. Un tronco de árbol se consideraba que era un *Bet-El*: una "casa de la deidad." Así que Asera fue representada por un árbol o poste de madera que era plantado en el suelo en una colina o bajo un árbol frondoso (Patai 1990: 45). Con ramas extendidas, se veía como el Árbol de la Vida, que era una imagen común en el *AMO* y un símbolo de Sabiduría que se remonta al santuario del jardín. In the Assyrian culture, for example, she was called *Asirtu* : En la cultura Asiria, por ejemplo, fue llamada *Asirtu*: "sanctuary." To the Hebrew people, a man's wife was called his house. "santuario". Para el pueblo hebreo, la esposa de un hombre era llamada su casa. Ellos veían al *mikdash*, el santuario santo, como una representación de la esposa de Di-s.

El erudito judío Raphael Patai explicó que la reconstrucción de la anterior religión hebrea se basaba en cuatro cosas: la evidencia en la Biblia (que contiene información incidental respecto a la religión popular), evidencia arqueológica local (en su mayoría limitada pero útil), información detallada sobre los dioses que adoraban basado en la arqueología y la mitología de la antigua Canaán, Siria, Mesopotamia y etc., y fuentes literarias de los primeros siglos de la era cristiana. Él observó una ausencia de documentos literales — como inscripciones en tablillas, monumentos y estatuas — que generalmente proporcionan evidencia de la adoración de culto. La limitada evidencia disponible sugiere, sin embargo, que el antiguo pueblo hebreo fue indebidamente influenciado por un panteón de dioses y diosas cananeos — en particular, la diosa Asera. En los casi seis siglos entre el momento en que se establecieron en Canaán y el exilio de Babilonia, los israelitas la adoraban junto a su devoción a Yahweh. "Hay inscripciones tan antiguas como 800 AEC que contienen bendiciones por Yahweh y su consorte, Asera. Parece que eran una pareja muy popular adorados durante siglos antes de los cambios religiosos introducidos por el Rey Josías "(Patai 1990: 35-40).

Sobre la base del material descubierto en Ras Shamra (la antigua ciudad fenicia de Ugarit, en la esquina noroeste de Siria en el Mediterráneo), Asera se convirtió en la diosa principal del panteón cananeo alrededor del siglo XIV AEC. Ella era la esposa de El, su dios principal, y gobernaba su lado como reina. Ella era conocida como "Asera La Dama del Mar" o "La que Pisa el Mar", porque el mar era su dominio. Ella era la diosa madre que servía de nodriza para los dioses y reyes que recibieron el derecho divino de gobernar a través de su leche materna. Ella fue representada por imágenes talladas en madera plantadas en el suelo junto a altares dedicados a Baal. Los arqueólogos han encontrado una gran cantidad de figurillas femeninas (no masculinas) que indican que su culto era muy popular — probablemente debido a que promovía la fertilidad y ayudaba en el parto (36-41).

La adoración a Asera continuó siendo popular entre las tribus de Israel por los próximos tres siglos — hasta bien entrado el reinado de Salomón que también la adoró como la Diosa de los Sidonios (1 Reyes 11:5). Casi todos los reyes de Judá e Israel adoraron Asera. El hijo de Salomón, Roboam, se casó con la hija de Absalón, Maaca. Ella trajo la imagen de la diosa al templo de Jerusalén. En respuesta, el rey Asa quitó a Maaca como la madre reina; Entonces él cortó la imagen y la quemó en el arroyo de Cedrón (1 Reyes 15:13). Del mismo modo, el rey Ezequías reparó, restauró y reformó el Templo después de la devastación producida por su padre, Acaz. Ezequías quitó los lugares altos no autorizados que estaban en servicio cuando el Templo estaba en pie (muchos lugares altos eran sitios legítimos, cuando no había templo), rompió los pilares de piedras, y también a Asera (2 Reyes 18:4). Sin embargo, esta pureza no duró; pues el hijo de Ezequías, el rey Manasés, erigió la imagen tallada nuevamente (2 Reyes 21:3). Patai preguntó: "¿Fue el acto de Manasés la convicción de que la consorte de Yahweh, la gran diosa madre Asera, debía ser devuelta a su lugar legal al lado de su esposo?"

Cuando el rey Josías encontró el rollo de la Torá (Deuteronomio), hizo un pacto en la presencia de Di-s a seguir sus mandamientos de todo corazón. En un intento de restaurar el Templo, los servicios, y el pueblo de nuevo a Di-s, Josías instituyó las mayores reformas de todas, que incluía la eliminación de Asera.

> Entonces el rey Josías ordenó a Hilkiyah el sumo sacerdote, a los sacerdotes de la segunda orden y a los guardas de las puertas remover del Templo del Señor todos los artículos que habían sido hechos para Baal, para el asherah y para el ejército completo del cielo; y él los quemó fuera de Jerusalén en los campos de Cedrón y llevaron sus cenizas a *Beit-El*. Él tomó el asherah de la casa de YAHWEH y lo llevó al Vadi Kidron fuera de Jerusalén y lo quemó en el Vadi Kidron, machacó las cenizas en polvo y tiró el polvo en el campo de sepultura de la gente común. El destruyó las casas de los cultos de prostitutas [sodomitas] que estaban en la Casa de Adonaí donde las mujeres tejían tiendas para asherah.
>
> (2 REYES 23:4, 6,7)

El rey Josías, considerado el más grande Yahwista (fuente temprana de la Tora) reformador de todos (621 AEC), instituyó purgas para limpiar el Templo y restaurar la adoración al único Di-os de Israel. Los deuteronomistas (un movimiento cuyo material se basa en Deuteronomio), quienes llegaron a saberlo, no toleraron cualquier otra adoración sino a Yahweh. Estas reformas crearon una brecha entre ellos y los de la religión anterior quienes siguieron adorando a la diosa.

Tras la muerte de Josías, Asera volvió al Templo, donde

permaneció hasta su destrucción por los babilonios bajo el rey Nabucodonosor (586 AEC). Con todo, la imagen de Asera se incluyó en el culto del Templo más de lo que no lo era. Su culto jugó un papel importante en la religión del antiguo Israel. Asera, la figura maternal, debe haber sido "querida por muchos fieles y su restauración al lugar tradicional en el Templo, por tanto, se consideró un acto religioso de gran importancia" (Patai 1990: 49).

Tanto el rey Josías y el profeta Jeremías intentaron purgar a Israel de su adoración a la "reina" de Yahweh. A finales del siglo VII AEC, Jeremías observó que en momentos de angustia las mujeres de Israel "hacían pasteles rituales para la reina de los cielos." El pueblo derramaba sus libaciones y le quemaban incienso a ella porque creían que tenía el poder para evitar el desastre. Jeremías, que profetizó la muerte de Josías (609 AEC) y el exilio de Babilonia (586 AEC), arremetió contra los altares de Asera que estaban "debajo de todo árbol frondoso" y "en todo collado alto" en Israel (Jeremías 17:2). Los hijos de Israel se negaron a escuchar las advertencias de Jeremías:

> Más bien, nosotros con certeza continuaremos cumpliendo todas las palabras que nuestras bocas han hablado, quemaremos incienso a la reina del cielo y derramaremos libación a ella, como hemos hecho, nosotros y nuestros padres, nuestros reyes y nuestros príncipes, en las ciudades de Judá y en las calles de Jerusalén. Porque teníamos mucho pan, todo estaba bien, no experimentamos ningún mal. Pero desde que cesamos de quemar incienso a la reina del cielo y de derramar ofrendas de libación a ella, carecemos de todo, hemos sido destruidos por la espada y por hambruna." [Entonces las esposas añadieron,] "¿Somos nosotras las que ofrecemos incienso a la reina del cielo? ¿Derramamos libación a ella? ¿Acaso le hicimos tortas marcadas con su imagen para ella y derramamos libación a ella sin nuestros esposos?"
>
> (JEREMÍAS 44:17-19)

Jeremías les explicó las razones del desastre que había caído sobre ellos. Él dijo que era debido a sus acciones detestables: ofreciendo incienso a la reina, pecaron contra Di-s, se endurecieron a sí mismos a las advertencias que les envió, y ellos se negaron a vivir por Su Torá. Gd responded: Di-s respondió:

'Ustedes y sus esposas expusieron sus intenciones con sus bocas y las llevaron a cabo con sus manos – ustedes dijeron: "Nosotros de cierto cumpliremos nuestras promesas que hicimos de ofrecer incienso a la reina del cielo y de derramar libación a ella."' Sin duda, ustedes en verdad cumplirán todos los puntos de sus promesas.

(JEREMÍAS 44:25)

La consecuencia de su desobediencia, de acuerdo con los deuteronomistas, fue la destrucción del Primer Templo y el exilio a Babilonia. El profeta Ezequiel detalló las prácticas idólatras que tuvieron lugar en el Templo de Jerusalén. Describió la "imagen del celo" que se encontraba cerca de la puerta norte que conducía al altar. Los eruditos bíblicos han sugerido que esta era la imagen de Asera originalmente creada por el rey Manasés. "A los ojos de los Yahwistas, a los cuales pertenecían a algunos de los reyes y todos los profetas, la adoración de Asera era una abominación. Tenía que ser porque era un culto aceptado por los hebreos de sus vecinos cananeos"(Patai 1990: 52).

La pregunta sin respuesta es exactamente que tenía Asera, la diosa madre, que cautivó a los pueblos antiguos. Patai ponderó si la diosa era más que una figura complementaria en lugar de una existente competencia con el Señor. "No se puede menospreciar la gratificación emocional con la que ella debe haber recompensado a sus sirvientes que vieron en ella la consorte y madre amorosa del Yahweh-Baal, y para quien ella era la gran diosa madre, dadora de la fertilidad, la mayor de todas las bendiciones. El pueblo hebreo por lo general se aferró a ella durante seis siglos" (52).

En su artículo, "¿Tuvo Yahweh una Consorte?" (1979: 24-34), Ze'ev Meshel describe algunas inscripciones únicas que descubrió en dos grandes jarras de almacenamiento que encontraron en Kuntillet Ajrud: una estación de paso remota en el desierto al norte del Sinaí. Las inscripciones, junto con algunos dibujos religiosos, fueron dejadas atrás por comerciantes a principios del siglo VIII AEC. Aunque el sitio no era un complejo de templos, era un centro religioso. Las jarras de almacenamiento, cada una con más de tres pies de altura, conservaban inscripciones reservadas relacionadas con el culto de Asera. Una inscripción decía: "Yo te he bendecido por Yahweh *shmrn* (guardia o la ciudad de *Samaria*) y su *srth* (Asera)." La última palabra, *srth*, está en la forma posesiva: *Asherato* Esto podría significar "Su *cella*" o "Su santo de los santos." También podría significar "Su árbol" (un símbolo de la deidad) o "Su consorte." Meshel sugirió que dos de las tres figuras que encontraron en los frascos podían ser la representación de Yahweh y su consorte. En un artefacto descubierto a nueve millas al oeste de Hebrón, otra inscripción dice: "Urías el rico ha causado que se escriba: *Ben*dito sea Urías por Yahweh y su Asera; from his enemies he has saved him." "Estas inscripciones muestran que en la religión popular de la época, la diosa Asera se asociaba con Yahweh, probablemente, su esposa, y que Yahweh y su Asera eran la pareja divina más popular" (Patai 1990: 53).

En Kuntillet Ajrud, Meshel también se encontró una gran cantidad de lino de tejido fino. Esto le llevó a la hipótesis de que un grupo de sacerdotes pudieron haber vivido allí. La tela fue hecha de hilo de calidad que se tejió de manera uniforme. De hecho, "los trozos de tela se tejieron con cuidado y tan bien con una aguja fina tal que pareciera a un zurcido invisible de hoy" Patai señaló que nadie está realmente seguro de cómo los antiguos hebreos sirvieron a Asera salvo por un oscuro detalle: las mujeres tejían "tiendas" para ella en el templo de Jerusalén (52).

Él [Josías] destruyó las casas de los cultos de prostitutas [sodomitas] que estaban en la casa de Adonaí, donde las mujeres tejían tiendas para Asera.

(2 REYES 23:7)

Las mujeres jóvenes, vírgenes eran responsables de grandes cantidades del tejido en el Templo. En particular, ellas eran las tejedoras del *parokhet* (velo) y las vestiduras sacerdotales (BT *Tamid* 29b). De acuerdo con el Evangelio de la Infancia de Santiago escrito alrededor del 145 EC (1:10-11), María, la madre de *Yeshúa*, estaba entre las mujeres jóvenes elegidas para hacer los velos para el Templo. La leyenda cuenta que mientras ella estaba tejiendo el ángel Gabriel se le apareció trayendo buenas noticias del nacimiento del Mesías. María, una de las siete vírgenes escogidas de la familia de David, era la responsable de girar las roscas de hilos púrpura y escarlata. Compuesto poco después de la destrucción del Templo en el año 70 EC, *Baruch* hizo referencia a "vírgenes; que tejían lino y seda con oro de Ofir" (Apocalipsis de *Baruch* 10:19). Rashi, en su comentario sobre 1 Crónicas 20:5, declaró que la madre del rey David también se dedicaba a tejer el *parokhet* del Templo.

En su artículo, "Cosmos, Templo, Casa: Construcción y Sabiduría en la Antigua Mesopotamia e Israel", Raymond Van Leeuwen dijo, "Todas las mujeres sabias de corazón que tejían telas para el Tabernáculo 'con sabiduría' tenían su contraparte en la mujer virtuosa de Proverbios 31."Ella fabrica para su casa el mismo tipo de tela fina de la casa de Di-s" (Ed Clifford 2007: 417). Las paredes del Tabernáculo también se construyeron de tela tejida por mujeres. En el *AMO*, el trabajo textil era una metáfora de la sabiduría de las mujeres. Esto refuerza la idea de que las antiguas mujeres israelitas construyeron sus casas con el atributo de la sabiduría.

Como dato interesante, "Las mujeres de la Cámara del Velo", un pequeño grupo de mujeres que viven en la comunidad bíblica de Samaria en Siló, están recreando el parokhet: el velo que separaba el Lugar Santo del Lugar Santísimo. Dicen que aprender a tejer el velo es una forma de preparación para la reconstrucción del Templo.

> "*Harás* una cortina de hilo azul, púrpura y escarlata y lino fino tejido. Hazla con keruvim trabajados, que han sido tallados por artesano experimentado."
>
> (ÉXODO 26:31)

Un Espíritu Santo Femenino

> Deseas además gran experiencia? Ella conoce el pasado y conjetura el porvenir, sabe interpretar las máximas y resolver los enigmas, conoce de antemano las señales y los prodigios, así como la sucesión de épocas y tiempos. Vuelto a casa, junto a ella descansaré, pues no causa amargura su compañía ni tristeza la convivencia con ella, sino satisfacción y alegría".
>
> (SABIDURÍA 8:3,16)

Cuando el Primer Templo fue destruido, los sacerdotes explicaron que la nación estaba siendo juzgada por Di-s por su devoción a Asera. Visto como un acto de idolatría y adulterio, el culto a la Reina del Cielo trajo juicio de un Di-s enojado y celoso. Por otro lado, algunos investigadores han sugerido que los sacerdotes habían cambiado simplemente la culpa de sus fracasos del liderazgo para enmarcar el desastre en términos más teológicos (DeConick 2011: 14). En general, los sacerdotes tuvieron éxito en la supresión del culto a la diosa. A los ojos de la secta religiosa más antigua, sin embargo, cuando el pueblo de Israel rechazó la Sabiduría (la figura maternal del Espíritu) fueron enviados al exilio lejos de su santuario central, donde la Sabiduría una vez habitó.

Hacia el final del período del exilio, los deuteronomistas

había sustituido Asera como la esposa de Yahweh con la nación de Israel. Sin embargo, "ella nunca ha sido olvidada, su historia hace eco en las memorias escritas que conforman la literatura de la sabiduría judía, recuerdos de un ángel co-creador, un espíritu femenino que vino a la tierra para descansar en los profetas y redimir al pueblo de Israel" (14). En el Nuevo Testamento, "Ella es incluso capaz de recuperar la mayor parte de su antigua gloria... cuando reaparece en la tradición cristiana primitiva como el Espíritu Santo" (15). En las lenguas semíticas, el "Espíritu" es gramaticalmente femenino. Muchos de los escritos extra-bíblicos de la época del Segundo Templo también transmitieron un Espíritu Santo que es femenino.

Ruaj HaKodesh (Espíritu Santo) es un sustantivo femenino en hebreo y arameo (*ruha*). Para los primeros cristianos, que eran judíos, el Espíritu era innegablemente femenino. Lo más probable entendieron que cuando Di-s creó al hombre a "nuestra imagen", la Biblia se refería a Dios, el Padre, y al Espíritu Santo, la madre. "Ambos sexos fueron creados simultáneamente para reflejar la imagen del varón y la hembra *Elohim*" (8). Cuando la Biblia instruye, "el hombre dejará a su padre y a su madre," entendieron que el padre de Adán era Di-s y su madre era la consorte de Di-s, Sabiduría/el Espíritu Santo.

Hay pocas palabras familiares emparejadas que ponen de relieve la relación entre Di-s y Su reina. *Eishet* (f.) *Chayil* (m.) Es la Mujer de Valor o fuerza. *Rúaj* (f.) *Elohim* (m.) es el Espíritu de Dios flotando sobre las aguas. *Malkut* (f.) *Shemayim* (m.) es el Reino de los Cielos que está cerca. Una casa siempre se refiere como *malchut*: un sustantivo femenino para el reino. Por esta razón, la casa de un hombre también se le llama su esposa.

Hacia el final del segundo siglo, el Espíritu Santo ya no era ampliamente visto como una entidad femenina. En griego, *pneuma* (espíritu) es gramaticalmente neutral. En otros idiomas, como el latín, "Espíritu Santo" es masculino. Al final del cuarto siglo EC, el Espíritu Santo fue visto en gran parte como una entidad sin forma masculina enviado del Padre para inspirar a la iglesia. Sin embargo, para los gnósticos de la época, se mantuvo el Espíritu Santo femenino. Se explicó la Divinidad como una Trinidad: el Padre, la Madre y el Hijo (DeConick 2011). En la tradición judía, el Espíritu Santo era un ángel independiente que existía antes de la creación y fue co-creador con Di-s. Entronizada junto a su esposo en nubes del cielo. Clemente de Alejandría (principios del tercer siglo) dijo, "ella (Espíritu Santo) es una novia permanente."

En el siglo cuarto, la exaltación de la Virgen María explotó. Se le dio títulos que antes se asociaban con Asera: Virgen, Novia, Madre de Dios y Reina del Cielo. En la era del Talmud (hasta el siglo VII), el espíritu femenino surgió como la *Shekinah*: la Presencia Divina de Di-s. Para el siglo X EC, la tradición mística judía conocida como Kabbalah (receptora) había cimentado la *Shekinah* como la manifestación femenina de Di-s. Para los cabalistas, la unión entre Di-s el rey y la *Shekinah*, Su reina, proporcionó protección para Israel en *Shabbat*. En sus mentes, el comportamiento de Israel determinó la relación entre la pareja divina. El pecado los separó y le dio poder a las fuerzas del mal. El arrepentimiento y la misericordia los unía en una historia de amor que restauró su unidad. Se dijo que la venida del Mesías permitirá una reunificación permanente de los amantes divinos (Patai 1990: 155).

El punto de vista del antiguo Israel de la verdadera Reina del Cielo, el Espíritu Santo, sobrevivió en la literatura aramea de los primeros cristianos—la imagen de un ave madre y el Espíritu de Dios flotando (verbo femenino) sobre las aguas del Árbol de la Vida como la Sabiduría y co-creadora femenina. Con el tiempo, las reglas gramaticales ya no correspondieron, y en el arameo ruha se convirtió en masculino—solamente cuando se refiere al Espíritu Santo. En el siglo VI, los rastros de un Espíritu Santo femenino todavía sobrevivieron en algunos de los escritos litúrgicos y poemas. Estos conectan principalmente la inmersión en agua y rituales eucarísticos relacionados con el Espíritu Madre flotando sobre las aguas (2011) DeConick.

Los ejemplos de un Espíritu Santo femenino eran abundantes en la iglesia Siríaca primitiva. Efrén, un teólogo y padre de la iglesia de Siria en el siglo IV EC, se refirió al Espíritu Santo como la madre. Cuando la paloma descendió sobre *Yeshúa* en su inmersión, Efrén dijo, "El Espíritu descendió de lo alto y santificó el agua por su despliegue. El Espíritu Santo es femenino y es la madre de Jesús. Ella lo llamó en el bautismo, "Este es mi Hijo amado'..." (*Epiphany Hymn* 6.1). En la tradición Siria, las aguas bautismales eran representadas como una matriz de la cual volvemos a nacer, y el Espíritu es la madre que da a luz a nosotros (DeConick 2011: 25).

Afraates, un judío persa que se convirtió al cristianismo, declaró, "Del bautismo recibimos el Espíritu de Cristo en la misma hora en que los sacerdotes invocaban al Espíritu, ella abría los cielos y descendía y se desplazaba sobre las aguas, y los que son bautizados se visten de ella. De todos los que nacen de un cuerpo, el Espíritu está ausente hasta que nacen por el agua y luego reciben el Espíritu Santo "(*Demostraciones* 6.292.24-293.5). También enseñó que la expresión, "dejará el hombre a su padre ya su madre," (Génesis 2:24) no se refiere a los padres ordinarios, sino al Padre del cielo y el Espíritu Madre. "¿Quién deja padre y madre para tomar una esposa? El significado es el siguiente: el tiempo que el hombre no ha tomado una esposa, ama y venera a Di-s su padre y el Espíritu Santo su madre, y él no tiene otro amor. Pero cuando un hombre toma a una esposa, deja a su (verdadero) padre y su madre" (*Demostraciones* 18).

Macarious, un monje del cuarto siglo del NE de Siria, dijo: "Una vez que el 'velo de la oscuridad' se encontró con el alma de Adán, los seres humanos han sido incapaces de ver el verdadero padre celestial y la buena y bondadosa Madre, la gracia del Espíritu y el dulce y deseado Hermano, el Señor" (DeConick, 2011: 22).

El Evangelio de Tomás es un texto cristiano del temprano siglo III también del este de Siria. Al hacer referencia a
la inmersión de un número de hombres jóvenes, dice: "¡Ven
regalo del Altísimo! ¡Ven Madre compasiva! ¡Ven compañera
del varón! ¡El que revela los misterios secretos! ¡Toma tu parte
con estos jóvenes! Ven Espíritu Santo y limpia sus lomos y sus
corazones. Y séllalos en el nombre del Padre y del Hijo y del
Espíritu Santo." En el Evangelio de Tomás, que forma parte
de los *Textos de Nag Hammadi* (descubiertos en 1945-47),
Yeshúa se refiere a sí mismo como el Hijo del Espíritu Santo.
Declara que sus discípulos deben odiar a sus padres terrenales
y amar al Padre y Madre como él lo hace: "Porque mi madre
me dio falsedad, pero mi verdadera madre me dio la vida."
Con el tiempo, las copias siríacas de este Evangelio borran por
completo todas las referencias al Espíritu madre.

En el año 600 EC, el obispo Martirius (de Mahoze) representa al cristiano convertido como uno "que ha sido digno de
cernirse del Espíritu Santo, quien, como una madre que se
cierne sobre nosotros al dar santificación a través de ella al
cernirse sobre nosotros, y nos hace dignos de ser hijos".

Las Odas de Salomón (escrito en griego) probablemente
se registraron por primera vez en arameo o sirio alrededor del
100-125 EC. (Los eruditos originalmente pensaron que eran
escritos judíos.) Contienen cuarenta y dos himnos y unas pocas
referencias al Espíritu Santo femenino. Muchas de estas odas
se recitaban durante ceremonias de inmersión. Por ejemplo, la
alegría de la "Madre Espíritu" cuando declaró a Jesús como su
hijo se registra: "la paloma revoloteó sobre la cabeza de nuestro
Señor Mesías porque él era la cabeza. Y arrulló sobre él, y su
voz se escuchó" (Oda 24). "Descansé en el Espíritu del Señor
y ella me levantó al cielo y me hizo estar de pie en el lugar alto
del Señor" (Oda 36).

El Evangelio de Hebreos fue referenciado por tanto
Jerónimo y Orígenes y fue considerado por algunos como el
registro original de la vida de *Yeshúa*. Aunque la versión griega

era bastante popular en Alejandría, Egipto, en el siglo II de nuestra era, es por lo menos tan antiguo como los Evangelios en el *Nuevo Testamento*. Este Evangelio sigue siendo el tema de mucho debate. Sin embargo, pinta el Espíritu Santo femenino descendiendo sobre Jesús en su inmersión: "Mi hijo en todos los profetas estaba yo esperando para vinieras y estaré contigo, porque tú eres mi descanso. Tú eres mi Hijo primogénito, que reina para siempre." En lugar de ser llevado al desierto para ser tentado por Satanás, este Evangelio afirma que Jesús fue llevado por el Espíritu a la cima del Monte Tabor. *Yeshúa* dijo: "Mi madre Espíritu Santo me llevó por uno de los pelos de mi cabeza y me llevó fuera a la gran montaña Tabor" (Citado por Orígenes, Comentario sobre Juan 2.12.87). Los primeros cristianos suponen que cuando el hijo se sumergió y salió fuera del agua, y cuando el Espíritu reposó sobre él, se convirtió en el rey divino. Para ellos, su inmersión era un antiguo ritual de coronación (Codex Bezea en Lucas 3:22) confirmaron que cuando la voz del cielo declaró: "Tú eres mi hijo; hoy te he engendrado" (Salmo 2:7b). Para llegar a ser rey debía de "nacer de nuevo" (en agua) de los padres celestiales después de nacer la primera vez de padres terrenales. "Hijo de Dios" fue el título dado a los reyes davídicos descendientes del hijo adoptivo de Dios, Salomón.

> Tan pronto como *Yeshua* fue sumergido, salió fuera del agua. En ese momento los cielos se abrieron, vio al *Ruaj HaKodesh* de Di-s que descendía en forma de paloma, y una voz del cielo dijo: "Este es mi Hijo, a quien amo; con Él estoy muy complacido."
>
> (MATEO 3:16,17)

En relación a su inmersión en agua, la mayor parte de las fuentes de los primeros cristianos se refieren al Espíritu Santo como la madre de *Yeshúa*. Enlazan al Espíritu descendiendo sobre él como una paloma al Espíritu de Di-s se cerniéndose sobre la superficie de las aguas (Génesis 1:2). Esta es la imagen de un ave madre cerniéndose sobre su nido: una expresión idiomática en la tradición judía para la *Shekinah* (presencia permanente). La voz que habló del cielo en su inmersión fue la madre de *Yeshúa*, Sabiduría, o lo que hoy llamamos el Espíritu Santo.

La Sabiduría es una Reina

Envíala desde tu santo cielo, mándala desde tu trono glorioso, para que me acompañe en mi trabajo y me enseñe lo que te agrada. Ella, que todo lo conoce y lo comprende, me guiará con prudencia en todas mis acciones y me protegerá con su gloria. Mis obras serán entonces de tu agrado, gobernaré a tu pueblo con justicia y seré digno del trono de mi padre.

(SABIDURÍA 9:10-12)

Si tuviéramos que imaginar el Espíritu Santo a partir del registro de la creencia cristiana primitiva, podríamos vislumbrar esta persona femenina Sabiduría como una reina en la corte real celestial. Podríamos encontrarla sentada al lado de Di-s en su propio trono en el cielo, siendo una con Él, y sumisa a Él, como una esposa es a su esposo. En mi investigación para este libro, me llamó la atención una correlación entre la persona de la Sabiduría y la misteriosa Reina de Saba de la escritura (1 Reyes 10:1-10). Estamos acostumbrados a las figuras masculinas que hagan apariciones en la tierra, pero ¿qué forma tomaría el Espíritu Santo al visitar el reino terrenal? El siguiente recuadro de ficción conecta la reina de Saba (Reina de los Siete) a la persona de la Sabiduría:

Cuando se enteró de la noticia, *Malkat Sheva*, la Reina de los Siete, abrió los ojos y se sentó erguida en su trono de zafiro enjoyado. Para la confirmación con respecto a este informe glorioso, miró a su rey que estaba sentado a su lado en el trono real. En conjunto, la Reina y *HaMelej* (el Rey) gobernaban el universo desde su elevada posición en el séptimo cielo, el *Aravot*, donde el rocío estaba reservado para los justos en el Mundo Venidero. Siete antorchas encendidas rodeaban su trono, y por debajo se derramaban torrentes de llamas de fuego. Un aroma dulce emanaba del suculento fruto del Árbol de la Vida; impregnando el aire celestial. Querubines de oro de tamaño monstruoso, con sus alas abiertas, blandiendo sus espadas, proyectaban sombras gigantes en lo alto. El techo de cristal desplegaba la ruta de las grandes luminarias — incluyendo los tesoros de las estrellas. Delante de los tronos, un piso de zafiro brillantemente iluminado proyectaba un profundo color azul en el firmamento abajo: la piedra angular del reino. A partir de ella se elevaba una roca del tamaño de una montaña llena de gemas finas y piedras preciosas. Marcada con las huellas de los ángeles, un camino de perlas luminiscentes y rubíes rojos ardientes conducía a la sala del trono. Veinticuatro ancianos entronizados del sacerdocio real angelical estaban sentados con vestidos de ropas blancas deslumbrantes y coronas de oro en sus cabezas. Rindiendo homenaje al gran gobernante con gritos de "¡Bendito, alabado, glorificado y exaltado es el santo Rey con toda grandeza, fuerza, esplendor, triunfo, gloria, poder y majestad!" La hueste celestial ofrecía especias fragantes de mirra e incienso, junto con oraciones, al igual que sus equivalentes sacerdotales lo hacían abajo.

Salomón, Rey de Israel, había sido comisionado a construir un templo real, y el trabajo había sido finalizado. Gritos de alegría resonaban en toda la sala del trono. La terrenal Casa de Di-s había sido preparada para el Rey. La Casa estaba cubierta de piedra blanca de mármol que se asemejaba a las prendas de vestir del sumo sacerdote que llevaba en el Día de Expiación. El día de la dedicación había llegado, y el altar estaba listo para miles de bueyes, ovejas que se ofrecerían; el sabor dulce de los holocaustos alcanzaría el trono celestial. Este glorioso encuentro en la tierra sería celebrado por dos grupos de siete días.

Durante la dedicación, los artesanos del Templo serían honrados por su buen y meticuloso trabajo en bronce. Hiram, de la tribu de Neftalí, había sido lleno de sabiduría, comprensión y la habilidad necesaria para construir una casa gloriosa para el Rey. Había sido transportado a lugares celestiales y se le mostraron los planos originales de la creación. Recibió la lista de materiales, las medidas y los diseños para todos los utensilios y mobiliario. El Rey Salomón luego buscó a comerciantes de todo el mundo con el fin de adquirir lo que se necesitaba. Al igual que Bezalel, el artesano maestro del Tabernáculo antes de él, Hiram hizo todo de acuerdo a lo que *HaMelej* había ordenado. El Templo de Salomón reflejaba perfectamente la misma esencia del mundo más allá del firmamento.

Cuando el trono carruaje se colocó dentro del Santo de los Santos, Salomón declaró: "Te he construido una casa magnífica — un lugar donde puedas vivir para siempre." A continuación, hizo su camino fuera del altar de bronce del holocausto. En presencia de toda la comunidad, extendió sus manos hacia el cielo y exclamó: "Di-s de Israel, no hay Di-s como tú arriba en el cielo ni en la tierra abajo." Un gran aplauso y gritos de "¡Viva el Rey!" ascendieron del templo a la corte celestial. El orden y estabilidad habían llegado a la tierra.

Se había acordado que *Malkat Sheva*, la Reina de los Siete, descendería de su trono celestial para reunirse con el rey Salomón y ser testigo de la dedicación del Templo recién terminado. Su carruaje fue preparado — sus ruedas engrasadas con aceite santo. Su propósito al descender era levantar Salomón como un estandarte sobre toda la tierra. Antes de su llegada, *Malkat Sheva* envió barcos cargados con regalos costosos para llenar el Templo. Ella preparó a su considerable séquito que incluía miles de hombres jóvenes vestidos con prendas de color púrpura finamente tejidas por los ángeles del cielo. La puerta sur de la entrada a los cielos se abrió mientras que *Malkat Sheva*, montada en su carruaje de oro, atravesaba el portal del firmamento. Una vez que llegó a la tierra de Israel, viajó en camellos cargados de especias con incienso, mirra, oro de Ofir, y piedras preciosas extraídas de la roca del interior del Lugar Santísimo celestial. El viento del sur se acercó al carro para el tramo final de su viaje al lugar secreto en el Negev, cerca de Aravá (sauce), que una vez fue el abrevadero para las ovejas *de Abraham*. Se unió a la caravana mientras iba de camino hacia Jerusalén.

Al Rey Salomón se le dijo de una reina de alto rango iba de camino a su reino, y él estaba intrigado. Había superado a los reyes de la tierra en riqueza y sabiduría, y muchos gobernantes habían buscado su consejo con el fin de gobernar mejor sus propios reinos. *¿Cuál era la intención de la Reina de los Siete?* Cada gobernante había traído regalos de plata, oro, prendas de vestir, armaduras, perfumes, caballos y mulas. Él se preguntaba lo que traería esta reina.

La Reina y el sabio Rey Salomón charlaron amigablemente mientras paseaban por los lujosos jardines de su palacio. A medida que se dirigían al Templo, ella compartió todo lo que estaba en su corazón como si hubiera tomado la mano a Salomón y hubieran entrado en el oráculo de *HaMelej*. Salomón entendió que estaba de pie en presencia de la Sabiduría: reveladora de cosas ocultas y fuente de su sabiduría. Para confirmar la profundidad de su conocimiento, la reina le propuso acertijos difíciles y le pidió que los resolviera. Ella le dijo que había sido enviada para ver si había recibido de hecho la sabiduría celestial y si había comprendido su significado. Indicó que informaría sus conclusiones a la corte de los ejércitos celestiales.

Mientras recorrían el recinto del Templo, estaba contenta con la mano de obra del Templo. Era extrañamente similar a su hogar celestial. Ella se sorprendió de que una obra de tal belleza y grandeza fuera construida por manos humanas. La Reina de los Siete observaba la magnificencia de la mesa de todos los días del Rey Salomón y la preparación de todas las ofrendas de alimentos. Estaba impresionada con la ropa usada por los servidores de Salomón y el hábil manejo de toda la casa. Ella expresó su gran admiración por todo lo que Salomón había logrado en la tierra, como estaba en el cielo. Observó, con alegría en su corazón, lo feliz (*ashrei*) que las personas serían y cómo se beneficiarían de su sabiduría. "Bendito sea Adonaí tu Di-s que se complació en ti para ponerte sobre SU trono para que fueses rey de Adonaí tu Di-s. Debido al amor de Di-s a Israel para establecerlos para siempre te ha puesto por rey sobre ellos para administrar la ley y juicio."

Completamente satisfecha con lo que había visto, un torbellino masivo apareció, rodeado de nubes radiantes de gloria, para llevar de regreso a casa a la reina. Habría de pasar muchos tiempos establecidos antes de regresar a la morada terrenal de su esposo. En un día que sólo conoce *HaMelej*, ella volvería sobre las alas del viento del este a visitar al nacido Rey de los Judíos — transportando con ella incienso, oro y mirra. Este rey, sin embargo, sería el que reconstruiría y restauraría el templo de Di-s, su padre, y Sabiduría, su madre, por toda la eternidad.

La Sabiduría Edifica la Casa

La sabiduría se ha edificado una casa; ella ha tallado sus siete columnas. Ella ha matado sus bestias, ha puesto especias en su vino, y ha preparado la mesa.

(PROVERBIOS 9:1,2)

¿Quién es la sabiduría? Durante casi seis siglos, los antiguos hebreos la vieron como consorte de Di-s, la Reina del Cielo, y el Árbol de la Vida. Los deuteronomistas la vieron como la noble mujer que personifica la Torá. Los cristianos primitivos relacionaron la Sabiduría al Espíritu Santo a través de la inmersión de *Yeshúa*. La literatura judía del período del Segundo Templo aludió la Sabiduría como el *Ruach Elohim*: el Espíritu de Di-s se flotando sobre las aguas "en el principio" en la creación. La Sabiduría también era un modismo para la novia que era el Santo Templo.

El *Zohar* (un comentario místico de la Torá) pregunta: "¿Cuál es el significado de *beresheet*? Significa 'con Sabiduría, ¡la Sabiduría en que se basa el mundo!" Un Tárgum declara, "en el principio la Sabiduría del Señor creó..." (*Targum Neofitit*). El Rey David preguntó, "¿Cuántas son las cosas que [la sabiduría] ha hecho? En sabiduría las has hecho todas" (Salmo 104:24). Los primeros escritos judíos, al referirse a la Sabiduría, declararon, "Él me creó al comienzo, antes del mundo, y nunca dejaré de existir. He servido ante él en el santuario, y en Sión me establecí." (Eclesiástico 24:9,10).

"Adonaí me hizo [Sabiduría] como el principio de su senda, la primera de las obras antiguas. Yo fui estable- cida antes que el mundo, antes del comienzo, antes que los principios de la tierra. Cuando fui criada, no había profundidades en los océanos, ninguna fuente que fluyera agua. Fui engendrada antes que las colinas, antes que las montañas se establecieran en su lugar. Yo estaba con Él como alguien en quien Él podía confiar. Para mí, todos los días son pura delicia, mientras jugaba en su presencia todo el tiempo, Él se regocijó cuando había completado el mundo, y deleitándome de estar con la humanidad.

(PROVERBIOS 8:22-25,30B-31)

Philo se refirió a la columna de nube, que descendió y se posó en la entrada del Tabernáculo, como Sabiduría. Con el tiempo, la columna de nube se conoce como la *Shekinah* (pres- encia permanente)."Yo [Sabiduría] salí de la boca del Altísimo, y como una neblina cubrí la tierra" (Eclesiástico 24:3). "Pero surgió una fuente que subía de la tierra y regaba la superfi- cie completa de la tierra." (Génesis 2:6). Neblina, en hebreo, también puede significar una nube de polvo que se levanta cuando las cenizas se rastrillan en el fuego. "Esparcí perfume como árbol de canela, como caña aromática y mirra escogida, como las resinas más olorosas, como el incienso [Sabiduría] que se quema en el santuario." (Eclesiástico 24:15) Ella es una reina sentada en su trono "en una columna de nubes" al lado del trono de Yahweh, el Di-s bíblico (DeConick 2011: 6).

En el *AMO*, la *Sabiduría* era una expresión de arquitectura para la construcción de una casa. Los reyes del *AMO* mostraron su sabiduría mediante la construcción de templos y llenándolos con lo necesario para proveer para el reino. La sabiduría de Di-s en la creación fue retratada con regularidad en términos arquitectónicos y en relación con el número siete. "El santuario de Akitu en Asiria tenía dos conjuntos de siete columnas y los pilares del Templo de Salomón (1 Reyes 7:17) tenían siete decoraciones entrelazadas" (Fox 2000: 297). En la antigua Mesopotamia, "el edificar era una cuestión de orden divino y los agentes humanos imitaban la sabiduría divina en la construcción" (Ed. Clifford 2007:404).

> Mediante el empleo de una terminología de construcción en la historia de la creación, el autor sacerdotal no ha hecho nada nuevo, pero se ha unido a otros escritores bíblicos que describen el mundo como un edificio, la Creación como un acto de creación y el Creador como perito arquitecto, bien informado y exigente.
>
> (HUROWITZ 1992: 242)

> Por la sabiduría la casa es construida, con entendimiento es asegurada, y por el conocimiento de sus habitaciones están llenas de todo tipo de bienes costosos.
>
> (PROVERBIOS 24:3-4)

Una casa fue construida con la sabiduría que una deidad o el rey pasaban al constructor. Di-s le dio a Moisés el diseño para el Tabernáculo del Templo cósmico. Él equipó a Bezalel, el artesano maestro (Éxodo 31:1-5), con sabiduría, entendimiento y conocimiento de todo tipo de arte fue "lleno" del

Ruach Elohim (Espíritu de Di-s). Di-s le dio al Rey David los diseños y planes para el Primer Templo (1 Crónicas 28:19), el cual David comunicó a su hijo Salomón. Hiram fue su arquitecto maestro (1 Reyes 7:14) — fue lleno de sabiduría, entendimiento y destreza. Según Van Leeuwen:

> La artesanía o destreza en cualquier área de actividad humana se hallaba en el corazón de la sabiduría bíblica, porque la sabiduría es un concepto tan amplio y abarca todo como la creación, que en el pensamiento antiguo incluyó la cultura.
>
> (ED. CLIFFORD 2007: 419)

Los que habían oído a *Yeshúa* enseñar en la sinagoga preguntaban: "¿Qué es esta sabiduría que se le ha dado ... ¿no es éste el carpintero/el hijo del carpintero?" (Marcos 6:2) Geza Vermes señala que el uso metafórico de "carpintero" se basa en un proverbio del Talmud en el que el sustantivo arameo para "carpintero" o "artesano" significa "un erudito u hombre instruido" (1981: 21). *Yeshúa* creció fuerte en el Espíritu y estaba lleno de sabiduría (Lucas 2:40); este es el lenguaje de templo para construir una casa. "Crecía en sabiduría y en estatura y en gracia ante Dios y los hombres" (Lucas 2:52). Pablo explicó: "Es en el Mesías que todos los tesoros de la sabiduría y el conocimiento están ocultos" (Colosenses 2:3).

Cuando el Rey Belsasar bebió de las copas de plata y oro que habían sido removidas del Primer Templo después de haber sido saqueado y destruido por su padre, Nabucodonosor, una misteriosa inscripción apareció en la pared del palacio. Cuando a los presentes le faltó la sabiduría necesaria para comprender la inscripción, fue la reina madre quien le recordó al Rey — en referencia a Daniel el profeta, " Hay un hombre en tu reino en quien está el Ruaj de *Elohim*. En los días de tu padre él fue encontrado tener vigilancia y entendimiento. El rey Nabucodonosor tu padre lo hizo jefe de los magos, encantadores, Kasdim y de los adivinos; porque se halló en él un ruaj excelente, y sentido y entendimiento en él e interpretando sueños como él hace, respondiendo preguntas duras, y resolviendo problemas difíciles. Él es llamado Daniel, pero el rey le dio el nombre de Beltshatzar, y él te dirá la interpretación de la escritura." (Daniel 5:11,12).

Salomón demostró su sabiduría a la Reina de Saba después de que el Templo se completó (1 Reyes 9.25; 10:1). Un *Midrash* dice, "la sabiduría de Salomón era el Espíritu Santo que le guiaba" (*Beresheet Rabá* 85). La reina planteaba acertijos sobre toda clase de temas que requerían *sabiduría* para poder resolverlos. El libro de Proverbios probablemente representa las enseñanzas de *Batsheva* (Betsabé), la reina madre (Proverbios 31:1), a su hijo Salomón. El primer capítulo describe cómo los proverbios son para el aprendizaje de la sabiduría y disciplina, de entendimiento, para hacer lo que es correcto y justo, y para la sensatez y discreción. Los entendidos se convertirán en más sabios y entenderán los proverbios, parábolas, expresiones oscuras, refranes, y enigmas que representan el idioma del reino y el mundo detrás del velo. Los acertijos son la sabiduría que emanaba del trono del Rey.

> Aún hay una sabiduría de la cual estamos hablando para que los que son suficientemente maduros, pero no es sabiduría de este mundo o de los gobernantes de este mundo, que están en el proceso de pasar a la otra vida. Por el contrario, estamos comunicando una sabiduría secreta de Di-s, que ha estado oculta hasta ahora, pero que antes que la historia comenzara Di-s había decretado que nos traería gloria.
>
> (1 CORINTIOS 2:6,7)

El libro de Proverbios está lleno de los principios bíblicos necesarios para construir una casa exitosa y próspera. Van Leeuwen también sugirió que la construcción de una casa/ templo era una manera de entender la sabiduría, la creación y la actividad divina (Ed. Clifford 2007: 404).

> Si alguien ama la justicia, las virtudes serán el fruto de sus esfuerzos. Pues la sabiduría enseña la moderación y la prudencia, la justicia y la fortaleza, que son más útiles para los hombres que cualquier otra cosa en esta vida. Si alguien desea alcanzar gran experiencia, ella conoce el pasado y adivina el futuro, sabe entender el lenguaje figurado y dar respuesta a las preguntas difíciles, prevé los sucesos más maravillosos y lo que ha de suceder en los diversos tiempos.
>
> (SABIDURÍA 8:7,8)

> El escuchar la Sabiduría, vivir dentro de su casa, participar de su comida y vino, son diferentes maneras de concebir una vida de aprendizaje.
>
> (FOX 2000: 297)

¡Que el Verdadero Espíritu Santo Por Favor Se Ponga de Pie!

> La Sabiduría no encuentra un lugar donde pueda habitar, entonces su casa está en los cielos. La Sabiduría fue a habitar entre los hijos de los hombres y no encontró sitio. Entonces la Sabiduría ha regresado a su hogar y ha tomado su silla entre los ángeles.
>
> (1 ENOC 42:1, 2)

El Espíritu Santo es la Sabiduría entre las mujeres que edifican su casa (Proverbios 14:1). Para los antiguos, era la diosa madre, la Sabiduría, y co-creadora del Templo cósmico. Para los deuteronomistas ella era la personificación de la Torá (sustantivo femenino). La Biblia habla de ella en términos brillantes — liberta de la transgresión. Dio fuerza y dominio a Israel — libertándolos de sus opresores. Salvó a la tierra del diluvio. Guió a Israel en el desierto y se convirtió en su cobertura de día y su luz de noche. Por lo tanto, ¿qué significa el Espíritu Santo para nosotros hoy?

Nuestra cultura fue una vez influenciada positivamente por tradiciones judeo-cristianas en el que los valores bíblicos fueron los principios regentes para la vida. Hoy en día el "mundo" está vacío de sentido común, y el discurso políticamente correcto ha evolucionado desde lo absurdo a lo francamente peligroso. Es como si nuestro mundo sufriera de psicosis extrema. La fuerza impulsora detrás de la toma de decisiones se basa en la emoción irracional en lugar de una fuerte visión mental. El pensamiento erróneo conduce a malas acciones que llevan a consecuencias devastadoras. Los líderes políticos han abandonado todos los vestigios de sabiduría y han adquirido mala fama de la infame tonta ramera — odiando la sabiduría y el conocimiento bíblico. Vemos el choque de dos sistemas de creencias que compiten: la sabiduría contra la necedad mundanal. Los que rechazan la sabiduría han perdido su capacidad de discernir entre el bien y el mal y han sustituido a uno con el otro. Se han convertido en ciegos, sordos, e incapaces de entender. Son tontos que desprecian la sabiduría.

Del Tribunal Supremo de Estados Unidos, Antonin Scalia lo dijo mejor en un discurso dado a los Caballeros de Colón en Baton Rouge: "Dios asumió desde el principio que los sabios del mundo verían a los cristianos como tontos... y Él no ha sido decepcionado. Si he traído algún mensaje hoy, es el siguiente: Ten el valor de tener tu sabiduría considerada como estupidez. Sé loco por Cristo. Y tengan el valor de sufrir desprecio del mundo sofisticado."

El temor al Señor es el principio de la sabiduría, y hay

buen entendimiento a todos los que la practican, y la piedad hacia Di-s es el principio del discernimiento, pero los necios desprecian la sabiduría y la instrucción. (Proverbios 1:7)

Porque Adonaí da sabiduría; de Su Boca vienen el conocimiento y el entendimiento. El atesora salvación para los que caminan en rectitud, El protegerá su camino; para guardar el curso de la justicia y preservar el camino de aquellos que le temen a Él. Entonces entenderás rectitud, justicia, equidad y todo buen camino. Pues la sabiduría entrará en tu corazón, el discernimiento será agradable a tu alma, el buen consejo te protegerá, y el entendimiento Kadosh te guardará. Ellos te salvarán del camino de la maldad y de aquellos que hablan engañosamente.

(PROVERBIOS 2:6-12A)

El ministerio del Espíritu Santo se manifiesta a través del ejercicio de la sabiduría bíblica. El Espíritu se mueve en respuesta a nuestra obediencia a la Palabra de Di-s. El Espíritu no es un sentimiento o un alto emocional. El Espíritu no puede ser manipulado por una ilusión, esperanza y sueño. El Espíritu no es una fuerza etérea que nos conduce sin rumbo y sin nuestro permiso. Un "mover" del Espíritu no está representado por el balbuceo excesivo, la risa histérica, caerse al suelo, o el avance de "revelaciones" que violan las leyes naturales de Di-s. ¿Qué significa realmente ser guiados por el Espíritu, escuchar al Espíritu, ser llenos del Espíritu, y andar en el Espíritu?

A menudo actuamos como si el Espíritu se hizo a *nuestra* imagen y semejanza, pero el Espíritu estuvo involucrado en la Creación. Dio a luz a nueva vida de la misma manera que una madre da a luz a un niño. El Espíritu es a menudo comparado a un ave madre que construye su casa/templo. Una madre enseña, entrena, da instrucciones, guía, nutre, consuela y protege a sus hijos. Ella pasa las costumbres y tradiciones de la familia a generaciones venideras. Ella moldea y da forma a caracteres para que sus hijos produzcan buenos frutos. Equipa a sus niños con el conocimiento y la sabiduría para que se llenen de todo lo bueno. Discierne y juzga justamente; preserva la integridad de su casa. Este es el ministerio del Espíritu Santo. Ser llenos del Espíritu Santo es ser llenos de sabiduría; este es el lenguaje de dedicación del templo. Blasfemar el Espíritu es rechazar la Sabiduría, la madre. Para estar inmerso en el Espíritu es estar lleno de sabiduría, conocimiento y entendimiento — similar a los artesanos maestros que construyeron el Tabernáculo y el Templo — para que podamos construir nuestros hogares, nuestras comunidades y nuestra nación. Una casa se construye cuando sus miembros siguen los preceptos y principios que se establecen en la Biblia. Lo mismo es cierto para el Cuerpo del Mesías que Pablo describe como un Templo. Cuando se obedece, la Sabiduría es el manual de instrucciones que permite el buen funcionamiento de la casa. La rebelión contra estos principios va a construir un tipo de casa diferente — y últimamente, un tipo de nación diferente.

Esta vida es acerca de tomar decisiones que traen vida o muerte. No hay término medio. O construimos la casa o la derribamos. El ser llenos del Espíritu es estar lleno de sabiduría para tomar mejores decisiones. Ser lleno de sabiduría produce buenos frutos (amor, alegría, paz, paciencia, benignidad, bondad, fe, mansedumbre y dominio propio). "Pero la sabiduría de lo alto es, primero que todo, pura, después pacífica, condescendiente, llena de misericordia y buenos frutos, sin parcialidad ni hipocresía" (Santiago 3:17). Caminar en el Espíritu requiere disciplina y obediencia. Adán y Eva se les dieron libre albedrío para elegir qué fruto iban a comer. Comer del Árbol de la Vida habría traído la sabiduría de Dios para toda la eternidad; el comer del Árbol del Conocimiento provocó la destrucción de su casa. La necedad, que es falta de sabiduría, siempre conduce a la muerte. La obediencia da frutos y produce vida abundante.

El Cuerpo del Mesías es un templo moldeado a la creación.

La Creación se basa en la unión de los elementos masculinos y femeninos. La clave para construir una casa sana que marche es encontrar el equilibrio adecuado entre los dos. Por desgracia, ese equilibrio sigue siendo difícil de alcanzar. Muchas "comunidades religiosas" han marginado a las mujeres. Han apagado su función principal en el Cuerpo del Mesías, que es enseñar, y se lo han dado exclusivamente a los hombres. En la cultura de la sociedad, los hombres han renunciado a su papel, tanto en el hogar y en la cultura, cediéndoselo a las mujeres. Esto ha llevado a una sociedad completamente disfuncional. Este desequilibrio producirá muy poco en el camino de los buenos frutos. La reconstrucción de una casa significa restablecer el equilibrio adecuado entre hombres y mujeres. La llegada del Mesías y la redención final corregirá el desequilibrio permanente entre lo masculino y femenino que ha existido desde que Adán y Eva pecaron por primera vez. Esta es la "buena noticia"; *Yeshúa* el Mesías vino a restaurar la creación a su estado original.

La sabiduría no entrará en un corazón inclinado a la maldad ni tampoco habitará en un cuerpo doblegado al pecado. Y así Dios declaró: "Arrepiéntanse cuando Yo reprendo – Yo derramaré mi Espíritu a ustedes, y haré mis palabras conocidas a ustedes." (Proverbios 1:23). Él declaró: "Les daré un corazón nuevo y pondré espíritu nuevo dentro de ti. "Yo pondré Mi Espíritu dentro de ti y causaré que vivas por mi Torá, que camines en mis ordenanzas y guardes mis juicios y los hagas [obedezcas]." (Ezequiel 36:27). Un corazón regenerado es todo lo que se necesita para que la sabiduría reconstruya la casa y produzca nueva vida. ¿Se ha regenerado su corazón?

Es a nosotros, sin embargo, que Di-s ha revelado estas cosas. ¿Cómo? Por medio del Espíritu. Porque el Espíritu todo lo escudriña, aun las mayores profundidades de Di-s. Porque, ¿quién sabe los asuntos internos de una persona, excepto el espíritu de la propia persona que mora dentro de ella? Asimismo nadie sabe los asuntos internos de Di-s excepto el Espíritu de Di-s. Ahora bien, no hemos recibido el espíritu del mundo, sino el *Ruaj HaKodesh*, para que podamos entender las cosas que Di-s nos ha dado libremente.

(1 CORINTIOS 2:10-12)

CAPÍTULO SEIS

SIETE Y EL TEMPLO

Al final de todos los siete años, durante la Festividad de Sukkot en el año shemitá, cuando todo Israel haya venido a presentarse delante de la presencia de Adonaí en el lugar que Él escoja, tienen que leer esta Torá delante de todo Israel, para que ellos la oigan. Congreguen (hakhel) a la gente – los hombres, las mujeres, los pequeños y los extranjeros que tengan en sus pueblos – para que ellos oigan, aprendan, teman a Adonaí su Di-s y tengan cuidado de obedecer todas las palabras de esta Torá; y así los pequeños que no saben, puedan oír y aprender a temer a Adonaí su Di-s, por todo el tiempo que vivas en La Tierra que estás cruzando el Jordán para poseer."
(Deuteronomio 31:10-13)

El *Hakhel* septenal (de la raíz kahal que significa una reunión) fue probablemente el trasfondo del capítulo ocho de Nehemías. En este evento se encontraban a todas las personas reunidas, una vez cada siete años, para escuchar las palabras del libro de Moisés. El siguiente recuadro describe cómo pudo haberse celebrado la *Hakhel*:

Judíos de todo el imperio fluyeron de forma constante a la ciudad de Jerusalén para la fiesta de siete días de *Sukkot*. A medida que el día amanecía con cielos azules brillantes, los peregrinos se dirigieron por la cuesta empinada de la ciudad cantando los canticos antiguos: "Porque el Señor ha elegido a Sión; Él la quiso para su morada: Este es mi reposo para siempre; Aquí habitaré, porque la he deseado" (Salmo 132:13,14). Voces resonaban con fuerza a lo largo del estrecho cañón donde las caravanas se acercaban de manera constante rebosando de alegría y alimentos recién cosechados: uvas, higos, dátiles, aceitunas, y granadas. Cuando alcanzaron el borde de la ciudad, en la distancia se veía el Templo Santo — un palacio blanco de cristal se elevaba brillando en el sol de la mañana — electrificando más la multitud de júbilo.

Este *Sukkot* era especial pues se incluía la *Hakhel*: la ceremonia en la que cada hombre, mujer y niño de Israel, junto con "el extranjero dentro de sus puertas," se reunían en el Atrio de las Mujeres para escuchar al Rey leer la Torá de Moisés. La *Hakhel* se celebraba una vez cada siete años, en *Sukkot*, en el año seguido al año shemitá o año sabático.

Con las cenizas todavía humeantes de la ofrenda de la mañana, un grupo de sacerdotes jóvenes entraba en al Atrio del Templo — caminando al mismo paso hacia el altar mayor. Llevaban ramas de sauce gigantes que hacían un sonido silbante cuando eran agitadas por la brisa mañanera. En ese mismo día, los mismos sacerdotes habían ido de excursión a Motza, un pueblo a los pies de la ciudad de Jerusalén, para cortar las ramas que ahora se colocaban alrededor de la base del altar. Las ramas de sauce formaban una sukka en miniatura — haciendo del altar una tienda de campaña en celebración de la Fiesta. Los sacerdotes desfilaban alrededor del altar exclamando, "¡Te rogamos, oh Señor, por favor, sálvanos!" En el último día de *Sukkot, Hoshannah Rabbah* (el día de la gran salvación), daban siete vueltas alrededor del altar para recordar la conquista de Israel en Jericó.

Un número de sacerdotes que se habían dispersado a lo largo de las calles de Jerusalén comenzaban a soplar las trompetas de plata para llamar a la nación a congregarse. Otros sacerdotes daban los toques finales a los cuatro candeleros que se habían levantado en el Atrio de las Mujeres en preparación para la iluminación de la noche. Una plataforma de madera de cedro, construida especialmente para la ceremonia *Hakhel*, se colocaba en el centro del patio, entre los candelabros. A medida que los sonidos del shofar traspasaban la tranquilidad del recinto del Templo, los devotos cortésmente se empujaban a través de la multitud con el fin de obtener una mejor vista. Un último toque anunciaba la entrada del Rey quien hacía su recorrido hasta los pasos improvisados de la plataforma para tomar su lugar delante del trono temporal. El administrador del Templo, quien tenía la tarea de llevar el Rollo de Moisés, subía los escalones detrás del Rey. De pie ante la multitud, se pasaba el adornado rollo al sumo sacerdote diputado que a su vez se lo entregaba al sumo sacerdote. Por último, a bombo y platillo acompañado de aplausos, el sumo sacerdote presentaba formalmente el rollo al Rey quien cuidadosamente desenrollaba el pergamino de piel de becerro de su envoltura llamada el *Etz Chaim* (Árbol de la Vida).

El Rey se sentaba, se aclaraba la garganta, tomaba un suspiro profundo, y comenzaba a hablarle a la nación. (Algunos en la multitud recordaban que el rey Agripa había estado de pie durante la lectura de la Torá. Los sabios de la época vieron esto como una señal de respeto a Di-s y a la nación.) En voz alta, en pleno auge, el Rey recitaba las bendiciones especiales. Entonces, después de leer varias porciones del libro de Deuteronomio, recitaba las ocho bendiciones finales — siete de los cuales eran recitadas por el sumo sacerdote en el Día de Expiación, "... Yo te suplico, oh Señor que el Templo Santo permanezca en pie... Bendito eres Tú que santificas a los kohanim... Ayúdanos, oh Di-s, a tu nación Israel pues tu nación necesita salvación".

Las palabras del rey quedaban suspendidas en el aire mucho tiempo después de haber terminado con la lectura — agitando los corazones de su pueblo. Se remontaban a la época en que sus antepasados se habían reunido en el Tabernáculo en Siló al entrar en la tierra de Israel — cuando Josué hijo de Nun había hablado al pueblo.

Más tarde en la noche, mientras el Rey reflejaba de nuevo sobre los acontecimientos del día, se le recordaba que él no era más que el líder político y militar de la nación. Él era el "ungido" de Di-s. Como tal, era responsable por el bienestar espiritual de su pueblo.

✡   ✡   ✡

En 1945, la primera ceremonia *Hakhel* desde la destrucción del Segundo Templo se llevó a cabo en la sinagoga Yeshurún en Jerusalén. Durante los próximos sesenta años, una serie de ceremonias más pequeñas se llevaron a cabo en la ciudad. Era la ceremonia *Hakhel* que se realizó sesenta y tres años más tarde, sin embargo, que algunos reconocieron como la primera señal de redención. En el segundo día de *Sukkot*, en el año 2008/5769, una *Hakhel* se llevó a cabo en el Monte del Templo por primera vez en casi 2000 años. Se habían hecho preparativos en secreto durante muchos meses. A pesar de que a casi seiscientas personas se les impidió entrar debido a los controles de seguridad intencionalmente lentos, cuatrocientos fieles estuvieron de pie en el Monte del Templo y leyeron los pasajes de Deuteronomio. Más tarde ese mismo día, en otro lugar, en Jerusalén, el Instituto del Templo mostró con orgullo, algunos de sus logros del año anterior: las trompetas de plata recién hechas, la diadema de oro del sumo sacerdote, y las vestiduras de los sacerdotes regulares. La jornada concluyó con la presentación del lavabo de bronce — que se utilizaba para la santificación de los sacerdotes en el Templo. Las trompetas de plata se soplaron hasta que cinco kohanim (sacerdotes) prominentes se prepararon para leer del rollo de la Torá. La diadema de oro recién hecha se colocó sobre la cabeza de un sacerdote. La ceremonia *Hakhel* de ese año fue vista como una cita con el destino; significó a los presentes que pronto aparecería el Mesías.

Siete en la Biblia

> Y el séptimo — ¡hallaste favor en él y lo santificaste! El más codiciado de los días, lo has llamado, un recuerdo del Acto de la Creación.
>
> (LA SANTIDAD DEL DÍA LA ORACIÓN DE LA AMIDÁ PARA EL SHABBAT)

Al igual que el *Hakhel*, muchas ceremonias en el Templo fueron estructuradas en torno al número siete: un número asociado tradicionalmente con los rituales de entronización y dedicación del templo celebrado en las fiestas del Año Nuevo en el *AMO*. Los estudiantes de la Biblia generalmente identifican el número siete con la perfección o culminación. Más significativamente a la mentalidad del *AMO*, sin embargo, el número siete representa la construcción y la dedicación de un templo y la coronación de un rey. "Se debe hablar de ordenar el cosmos en términos de siete incluso la construcción del microcosmos debe estar de acuerdo con el número sagrado" (L. Fisher, 1963: 40-41). "La creación en el Génesis... es descrita como un templo; está construida como un templo que se edificaba en el Antiguo Medio Oriente" (Kline, 1999).

Para entender el significado del número siete, es útil examinar la construcción de los templos en el contexto del *AMO* en los mitos de la creación — los cuales revelan muchas similitudes con el relato de la creación en Génesis.

Enuma Elish, el mito babilónico de la creación (una versión de la librería de Asurbanipal cuyas fechas datan al siglo VII

AEC), fue grabado en tablillas de arcilla llamadas las Siete Tablillas de la Creación. *Enuma Elish* habla de la creación del mundo, la victoria de Marduk sobre Tiamat, y cómo Marduk finalmente se convirtió en rey de los dioses. Este relato se recitaba anualmente en el Akitu: el Año Nuevo Babilónico que se celebraba en el mes de primavera de Nissanu (Nota: la dedicación del Tabernáculo de Moisés se llevó a cabo en la primavera en el primer día del mes hebreo Aviv/Nisán).

Enuma Elish comienza con la creación en un estado sin forma — similar al relato de Génesis — de donde surgieron dos dioses primarios: el dios Apsu (aguas dulces) y la diosa Tiamat (aguas amargas). En la desembocadura del Tigris y el Éufrates, el sitio original de la civilización mesopotámica, aguas dulces y saladas se mezclaron para crear vida. La unión de estas dos entidades dio a luz a dioses más jóvenes. Durante el festival de Año Nuevo, la estatua de Marduk era retirada de su templo y se desfilaba por las calles de la ciudad mientras se coreaba el *Enuma Elish*.

Las culturas del *AMO* ligaban sus rituales del Año Nuevo con un templo terminado. La celebración anual contaba con ceremonias de entronización del nuevo " rey ungido." Las fiestas del Año Nuevo también celebraban la revivificación o la resurrección del rey y la unión del dios a su consorte. "La re-dedicación del templo era una señal de la reanudación de la unión y la armonía cósmica" (Lundquist 2008: xiv). Hay una serie de similitudes entre éstos rituales del Año Nuevo del *AMO* y *Rosh Hashaná* (cabeza del año) o el Año Nuevo Judío. Celebrado en el primer día del séptimo mes, ésta fiesta se conoce comúnmente en los círculos cristianos como la Fiesta de las Trompetas. Temas que rodeaban el antiguo Año Nuevo Judío incluyen la ceremonia de bodas, la entronización del rey, la sentencia de juicio y la resurrección del rey.

El Erudito del *AMO* Víctor Hurowitz descubrió más de cuarenta casos en los que el número siete se conectó a la construcción de templos, dedicación y rituales de entronización del *AMO*. Observó ejemplos de los Cilindros de Gudea (1992: 38-59) que muestran la construcción de templos en la antigua Sumeria. Fechados alrededor del 2125 AEC, estos cilindros fueron escritos en cuneiforme y describen el templo de Babilonia/la lluvia Sumeria y el dios de la fertilidad, Ningirsu, que era el dios protector sobre Girsu (Lagesh). Los cilindros, hechos por el rey Gudea de Lagesh, se encontraron en 1877 durante las excavaciones en Tell Telloh, Irak (la antigua Girsu). Contienen el registro histórico de la construcción del templo de Ningirsu: Eninnu (Casa de los Cincuenta). Además, describen la anual ceremonia de entronización del Año Nuevo del rey y la reina divina de Lagash.

El Cilindro A describe el plano para el diseño del templo — dado al Rey Gudea por su dios, Ningirsu, quien se le apareció en un sueño. Las inscripciones muestran cómo el rey humano y el dios divino interactuaron en la construcción del templo sagrado. Al igual que el Rey Salomón, Gudea importó materiales — madera del templo, metal, betún, bloques de piedra, etc. — de lugares lejanos.

El Cilindro B relata la dedicación del templo en la primavera — describiendo la entronización de la pareja divina, así como su matrimonio sagrado. Ritos de fertilidad acompañaban la ceremonia que garantizaba la renovación de la vida desde el interior del santuario interior. La ceremonia de matrimonio simbolizaba nueva vida para la tierra seca, y la entronización del rey representaba la resurrección del dios fallecido. En el mundo antiguo, construcción, reconstrucción y/o la restauración de un templo era el logro más notable de un gobernante.

Se nos presenta un patrón de construcción de templos de siete días similar en el primer versículo del Génesis. Siete palabras en hebreo son traducidas: "En el principio Di-s creó los cielos y la tierra." Siete, o sheva, también significa un juramento. El Rabino Hirsch dijo: "Un juramento obliga a una persona a través de todo lo que se hizo en los siete días de la creación." Tradicionalmente, un juramento imponía una obligación especial en la persona que hacía la promesa verbal. Cuando se habla en voz alta, la promesa se convertía en la unión, y así el no mantener un juramento traía una maldición sobre el que rompía la promesa. Un juramento era sagrado, y con el tiempo las sanciones específicas se impusieron sobre los que juraban falsamente. Los juramentos eran una parte importante de la vida nacional de Israel en términos de demandas, asuntos de estado, y vida cotidiana. Se convirtieron en una práctica común para confirmar un juramento entre las partes con siete declaraciones verbales. (Salomón habló siete peticiones en la dedicación del Primer Templo). Se ha sugerido que "en el principio" Di-s estaba haciendo un juramento de unión con su creación, en presencia de dos testigos: el cielo y la tierra.

> Estos son los secretos de este juramento: ellos son fuertes en su juramento y el cielo fue suspendido antes de que el mundo fuera creado; por ello la tierra ha sido cimentada sobre el agua y desde lo más recóndito de las montañas provienen aguas hermosas, desde la creación del mundo hasta la eternidad; debido a este juramento el mar ha sido creado y para su cimiento en el tiempo de la cólera Él le ha dado arena y ella no se atreve a irse más allá desde la creación del mundo hasta la eternidad; por este juramento las profundidades son firmes y estables y no se mueven de su sitio, desde la eternidad hasta la eternidad; por este juramento el sol y la luna cumplen su ruta sin desobedecer sus leyes, desde la eternidad hasta la eternidad; por este juramento las estrellas siguen su curso, Él las llama por su nombre y ellas le responden, desde la eternidad hasta la eternidad.
>
> (1 ENOC 69:16-21)

El séptimo día, *Shabbat* (sábado), era el ápice de la Creación. Cuando Di-s "descansó" en el séptimo significó que Su Templo cósmico estaba terminado. Se rellenó de "muebles" (sol, luna, estrellas, peces, pájaros, animales, etc.) y estaba en pleno funcionamiento. Philo dijo que el séptimo día figura que la unidad fue restaurada. En Levítico *Rabá*, el número siete era precioso para el mundo de arriba (29.10).

Y yo no sé si alguno puede ser capaz de celebrar la naturaleza del número siete en términos adecuados, ya que es superior a cualquier forma de expresión.

(PHILO EN LA CREACIÓN DE 90)

En el séptimo día, el tipo de obra necesaria para construir el Templo de la creación fue reemplazada con el trabajo denominado *avodá* (servicio): los servicios litúrgicos del Templo realizados por los sacerdotes. *Adam* fue asignado a "labrar" y "proteger" el santuario del jardín. Trabajo hacía referencia a los servicios rituales y ceremonias realizadas como sumo sacerdote. "Génesis representa el mundo como un macro-templo y la humanidad creada para el servicio litúrgico como sacerdotes cósmicos en la tierra" (Morrow 2009).

Un buen ejemplo es el ciclo de las fiestas descrito en Levítico 23, que comienza con el *Shabbat*, día de reposo: el séptimo día. Esto es seguido por la época de Pascua/*Pesaj* en la primavera con su celebración de siete días. *Shavuot* (significa sietes), o la Fiesta de las Semanas, es la conclusión actual a la Pascua y se celebra siete semanas más tarde. *Sukkot*, es observado en el otoño, otra fiesta de siete días.

El Templo de Salomón se completó en siete años y fue dedicado en *Sukkot* (en el séptimo mes) durante dos períodos de siete días. El discurso de dedicación de Salomón incluyó siete declaraciones (1 Reyes 8:31-53). La elaboración de las prendas sacerdotales (Éxodo 39) y la construcción del Tabernáculo (Éxodo 40) se describen en patrones de siete. Las ceremonias de boda y rituales de matrimonio se conectan al número siete. Jacob trabajó durante dos períodos de siete años para poder casarse con Lea y Raquel.

El Espíritu, se describe como "séptuplo" (Revelación 1:4)

que reposaría sobre el renuevo que salió del tronco de Isaí (Isaías 11:1,2): La raíz y el linaje del Rey David (Revelación 22:16). Di-s prometió equipar este retoño con los siete espíritus: El Espíritu del Señor, Sabiduría, Entendimiento, Consejo, Fuerza, Conocimiento y Temor. "En estas siete formas el Espíritu Santo descendió sobre el segundo David" (Keil y Delitzsch 2011: 182-183).

El número siete también se conecta a ceremonias relacionadas con las leyes de pureza ritual, a las ofrendas de altar, a los ciclos de nacimiento y muerte, y a los periodos de juicio. Siete es el marco para toda la vida agrícola, civil, judicial y religiosa de Israel — todo ello en el contexto de la construcción, dedicación y entronización de templos.

El Séptimo Día

> Así los cielos y la tierra fueron terminados (*kallah*), junto con todo en ellos. En el sexto día Dios terminó (kallah) con sus trabajos los cuales Él había hecho, así que Él descansó en el séptimo día de todos sus trabajos que Él hizo. Dios bendijo el séptimo día y lo separó como *Kadosh*; porque en ese día Dios descansó de todos sus trabajos que Dios había comenzado a hacer.
>
> (GÉNESIS 2:1-3 SCHOTTENSTEIN ED.)

> Para el Dios que descansó de todas las obras y que en el séptimo día fue elevado y se sentó en el Trono de Su Gloria. Con el esplendor Él envolvía el Día de Alegría (El declaró el *Shabbat* un día de deleite.)
>
> (ORACIÓN LA'EL PARA EL *Shabbat*)

El séptimo era un día de descanso que significa que era un día relacionado con la dedicación del templo, entronización, y el matrimonio. El descanso en el *AMO* simbolizaba que el dios que había sido entronizado en su templo como vencedor sobre todos sus enemigos. Las "aguas del caos" representaron los enemigos de Di-s. (Este es el marco para la historia del arca de Noé.) En su artículo, "*Shabbat, el Templo y la Entronización del Señor*" Moshe Weinfeld hace hincapié en este sentido que indica que la victoria por el dios sobre sus enemigos resultó en un día dedicado a su entronización. En el relato bíblico de la creación, el descanso de Di-s significaba que su trono se estableció en el séptimo día. La Canción del Mar (Éxodo 15) concluye con Di-s en su santa morada como "el lugar" y "el santuario" establecido en la montaña de la herencia de Di-s. Esto fue cantado después de que Faraón y su ejército se ahogaron en las profundidades del mar. La canción se hace referencia de nuevo en Revelación 15, donde los que han derrotado a la bestia están de pie en el mar de vidrio cantando el Cantico de Moisés delante del trono. El "descanso" de los enemigos de uno indica la creación de un "trono de realeza."

En la Biblia, Di-s "descansó" de Su trabajo y "habitó" en Su Santuario en el séptimo día. Muchas de las oraciones del *Shabbat* (sábado), afirman a Di-s como Rey sentado en el "trono de Su gloria." Salmo 132:8, un salmo de entronización y una de las Quince Canciones de Ascenso, declara, "Sube *Adonaí* al lugar de tu descanso y el arca de tu gloria... este es mi reposo para siempre." Sigmund Mowinckle, en su libro, *Los Salmos en la Adoración de Israel*, identificó salmos de entronización para el *Shabbat*, que eran parte de la liturgia del Segundo Templo: Salmos 92-99, 29, 90, 19. Salmo 93:1 declara, "*Adonaí* es el rey, revestido de majestad; *Adonaí* está arropado, ceñido de poder... Tu trono fue establecido desde la ambigüedad; Tú has existido eternamente." Salmo 29:10 dice: "¡Adonaí está sentado sobre el diluvio! ¡*Adonaí* se sentará como Rey por siempre!" En el Salmo 95:3: "Porque *Adonaí* es un gran Di-s, un gran Rey sobre todos los dioses." Salmo 97:1 declara: "¡*Adonaí* es rey, que la tierra se regocije!" declara el Salmo 99:1, "¡*Adonaí* es el rey; let the peoples tremble. tiemblen los pueblos. Él está sentado sobre los *keruvim* (querubines) ¡que se estremezca la tierra!"

Rosh HaShanah (que significa Cabeza del Año) es un *Shabbat*ón se celebra el primer día del séptimo mes (Números 29:1). La liturgia de este día está llena del lenguaje de entronización. Salmo 24:7,8 declara: ¡Levanten sus puertas, ustedes príncipes! ¡Levántenlas a lo alto, puertas eternas, y el Rey de la Gloria entrará! ¿Quién es Él, este Rey de la Gloria? *Adonai*, fuerte y poderoso, *Adonai*, poderoso en batalla." Salmo 47:1, 5, 6,8 dice: "1 *Adonai Elyón* es imponente, un gran Rey sobre toda la tierra. Di-s sube los gritos de aclamaciones, *Adonai* al sonido fuerte del shofar. ¡Canten alabanzas a nuestro Rey, cantad salmos! Para Di-s es el Rey de toda la tierra... Dios se sienta en su trono sagrado."

Di-s bendijo el séptimo día y lo separó como *Kadosh*; porque en ese día Di-s descansó de todos sus trabajos que Di-s había comenzado a hacer" (Génesis 2:3). En el primer capítulo del Génesis, hay dos tipos de trabajo que están implicados: el trabajo envuelto en la construcción del Templo y la labor que se requería para llevar a cabo los servicios del Templo. La humanidad era el puente entre los dos. Se dice que el servicio del hombre en *Shabbat* restauró el universo a su gloria original. El *Shabbat* también fue declarado *Kadosh*, santo, en el que Dios bendijo el séptimo día y lo apartó para una función en particular. Con esta función tuvo ciertas restricciones: la prohibición del trabajo regular y el encendido de fuego.

Apartar el *Shabbat* de los otros seis días laborales trajo bendición sobrenatural para la comunidad. Era como si el "velo" que colgaba entre los seis días y el séptimo era eliminado todos los *Shabbats*. Esto figuró un abandono de "este mundo" con el fin de entrar en el "mundo fuera del tiempo" — el Santo de los Santos y la sala del trono del Rey. En el mito *Ba'al* ugarítico, un fuego se encendía durante seis días y luego se apagaba en el séptimo de modo que *Ba'al* se regocijara y se instalara en su templo. El trono de *Ba'al* era llamado el "trono de reposo." En el santuario del dios El era el "asiento de descanso." Cuando el dios Él colocaba sus pies sobre el estrado, declaraba, "Ahora voy a sentarme y descansar" (Weinfeld 1981: 504).

Pero después de que todo el mundo se había completado de acuerdo con la naturaleza perfecta del número seis, el Padre santificó el día siguiente, el séptimo, elogiándolo, y declarándolo santo. Porque es día de fiesta, no de una ciudad o de un país, sino de toda la tierra; un día que es el único que tiene derecho a llamarse día de fiesta para toda la gente, y el cumpleaños del mundo.

(PHILO ON THE CREATION 89,90)

Cada *Shabbat*, se recitan las palabras, "así se completaron el cielo y la tierra, junto con todo en ellos." (Génesis 2:1-3). El séptimo día fue la finalización (*kallah*) de los cielos y la tierra, y el número siete está relacionado con el Tabernáculo (Éxodo 40:2) y el Templo de Salomón (1 Reyes 7:40).

Sólo cuando llegó Salomón y construyó el Templo el Santo, Bendito sea, dijo: 'Ahora la obra de la creación, el cielo y la tierra se han completado: Ahora todo el trabajo... se ha completado' Esto era por lo que se llamaba Salomón (cuyo nombre significa el que está destinado a terminar), ya que fue a través de la obra de sus manos que el Santo, Bendito sea, completó la obra de los seis días de la creación.

(WEINFELD 1981: 504N)

La palabra hebrea para novia, *kallah*, está estrechamente asociada con la idea de finalización. Ésta puede ser la razón porque la boda se convirtió en una parte integral de los rituales del *Shabbat*. Los sabios dicen que en la noche del *Shabbat* el rey se unía a la novia y de esta unión se producen las almas de los justos. "Los cielos cuentan la gloria de Di-s... Y en el sol, Él ha puesto Su Tabernáculo que sale como novio de la cámara nupcial." (Salmo 19:2,5b) El Zohar pregunta por qué el día de reposo se llama *kallah* o una novia. La respuesta es la siguiente: el *Shabbat* es el cónyuge de Di-s (II, 63b). "La comunidad de Israel se le llama una reina *Shabbat* pues ella es la esposa de Di-s" (Patterson 2005: 150).

La costumbre de la recepción de la reina se lleva a cabo en la víspera de *Shabbat*. "Rabí Yanai se puso sus ropas en la víspera de *Shabbat* y exclamó: "¡Ven, oh novia, ven, oh novia!" (BT *Shabbat* 119a) Durante *Shabbat*, la Presencia Divina — la *Shekinah* de Dios — se le da la bienvenida en todos los hogares. La *Shekinah* es un símbolo de la novia de Dios. La esperanza eterna del pueblo judío es el regreso de la Presencia Divina al Templo después de su largo y amargo exilio. Tal vez esto está relacionado con el Espíritu y la Novia en Apocalipsis 22:17.

Debido en gran parte a su celebración del *Shabbat*, el pueblo judío ha seguido siendo una nación distinta — separado de las culturas que le rodean. En tiempos de persecución, esto les ha hecho un fácil e identificable blanco. A pesar de esto, ellos han mantenido su identidad a lo largo de muchos milenios.

El *Shabbat* nos recuerda que Di-s es fiel, que Él está entronizado en Su Santo Templo, y que Él habita en medio de todo su pueblo. Es un día en el que toda la comunidad entra al "mundo fuera del tiempo" y le adora en Su trono. Es un día en el que las relaciones se nutren y las familias son rejuvenecidas. En nuestras casas comemos, oramos, compartimos, cantamos y estudiamos juntos. De este modo, llegamos a ser parte de Su Santa Casa. Uno de los propósitos para el *Shabbat*, el séptimo día, es proteger y preservar la familia. Esto es especialmente cierto cuando vemos los días se hacen cada más malvados y el mundo continúa su descenso al caos y tribulación.

La Ramera o la Novia

Seis cosas precedieron a la creación del mundo. Algunas fueron creadas, algunas se levantaron en el pensamiento de ser creadas: La Torá y el Trono de Gloria se crearon...

Los patriarcas, Israel, el Templo, y el nombre del Mesías surgieron en el pensamiento de ser creados... El Templo, ¿de dónde? Como se afirma: "Un trono glorioso fue exaltado desde el principio, es el lugar de nuestro santuario."

(GÉNESIS RABÁ 1:4; JEREMÍAS 17:12)

El libro de Revelación es un contexto del templo del *AMO* lleno de lenguaje colorido e imaginativo cimentado alrededor del número siete: siete espíritus, siete congregaciones, siete estrellas, siete años, siete trompetas, siete copas, siete sellos, siete ojos, siete cuernos, siete cabezas, siete plagas, siete ángeles, siete truenos, etc. Estos símbolos probablemente fueron entendidos por los del primer siglo; sin embargo, gran parte de la comprensión se ha perdido. El contexto adecuado es la clave. Nuestra falta de conocimiento en torno al Templo a menudo conduce a suposiciones irracionales.

Para las mentes antiguas, el número siete significaba no sólo un tiempo de descanso, sino también un período de juicio. En la historia de Noé, las aguas del diluvio vinieron sobre la tierra "después de siete días". El sueño del Faraón de las vacas enfermas y el grano chamuscado profetizaron un período de siete años de juicio. Di-s arrimó el río Nilo como un juicio sobre Egipto después de siete días. Judá fue llevada cautiva por el imperio de Babilonia por un período de setenta años porque descuidaron el Año Sabático (por un período de setenta años).

Los siete años en el libro de Revelación, a menudo referidos como "la gran tribulación" representan tanto un tiempo de descanso en las regiones celestiales (el mundo fuera del tiempo) y un tiempo de juicio sobre la tierra abajo. Dos personajes claves emergen: la "novia" y la "ramera" (como en Proverbios). Ambas representan la naturaleza espiritual del liderazgo del Templo — en particular, al sumo sacerdote. La novia era originalmente la Sabiduría y el Árbol de la Vida que simbolizaba la pureza de la Casa de Di-s. El árbol del Conocimiento, por el contrario, era una Enajenación (o la ramera) quien se prostituyó con los enemigos de Di-s y corrompió la santidad del entorno del Templo. La novia era *kadosh*: santa, dedicada, y apartada. La ramera era *kedushá* (de la misma raíz) como aquella que se dedica a muchos "amantes" en lugar de serle fiel a uno. La ciudad de Jerusalén, junto con el Templo y su liderazgo, en diferentes tiempos fue descrita por los profetas como siendo una novia pura o una ramera contaminada.

"El libro de Revelación, como el Rollo del Templo, implican que el templo y la ciudad [Jerusalén] coinciden. La ciudad celestial es a la vez la ciudad y el Templo"(Barker 2000: 323). Rashi dijo que la Tienda de Reunión tenía "la apariencia de una novia modesta que tenía su rostro cubierto por un velo" (comentario sobre Éxodo 26:9).

> Y aconteció que mientras yo estaba hablando con ella, he aquí, su rostro de repente resplandeció en extremo, y su semblante relumbró, por lo que tenía miedo de ella, y medité en lo que podría ser. Y he aquí que de pronto ella dio un gran grito con mucho miedo: de modo que la tierra se sacudió a la voz de la mujer. Y miré, y he aquí, la mujer que me apareció a mí no fue más, pero había una ciudad construida, y un lugar grande se mostró desde los cimientos.
>
> (2 ESDRAS 10:25-27)

> Y la ciudad que Di-s deseó, la hizo más brillante que las estrellas, el sol y la luna, y proporcionó el ornamento e hizo un Templo Santo, muy hermoso en su santuario justo...
>
> (ORÁCULOS SIBILINOS 5.420)

El Primer Templo había sido una prostituta debido a la adoración de dioses extranjeros; el segundo había sido una ramera porque el dinero extranjero fue aceptado para su reconstrucción y, sin embargo, muchos de los que adoraban al Señor fueron excluidos; y la ciudad y el templo reconstruidos por Herodes era una ramera que se había enriquecido con la riqueza de sus depravaciones.

(BARKER 2000: 279)

Barker sugirió que la destrucción de la gran ciudad, Jerusalén y el Templo, tenía más que ver con su riqueza y la situación económica en Judea durante el primer siglo que cualquier otra cosa. El Segundo Templo fue plagado de corrupción, principalmente debido a las acciones de unos pocos sumos sacerdotes que ejercían un inmenso control económico de la institución Templo a través de la usura, extorsión, soborno y corrupción. Sus acciones corrompieron la casa — un patrón que se repite a través de la historia de Israel.

Los rollos de Qumrán mencionan un "sumo sacerdote malvado" que se había alineado con el poder extranjero de la época: Roma. Él era el "gran dragón" (Revelación 12:15), que persiguió a la mujer que huía (la comunidad de Qumrán), por el desierto mientras arrojaba agua de su boca con el fin de que fuese arrastrada en la inundación. La "tierra" (lenguaje de construcción de templo) vino a su rescate, y el niño varón que dio a luz era el Mesías: el sumo sacerdote correspondiente al Tabernáculo celestial. Él restaurará la Casa de Di-s: la novia pura sin mancha ni arruga.

El profeta Isaías entendió la naturaleza corrupta de la ciudad/templo cuando dijo: "¡Cómo la ciudad fiel se ha convertido en una ramera! En un tiempo estaba llena de justicia, en ella habitaba la rectitud." (Isaías 1:21). Ella fue la ramera que se corrompió a través de su comercio (Revelación 18:11-15) y participó en alianzas impías con imperios extranjeros. Con el tiempo la ciudad/Templo fue identificada con el imperio de Babilonia — no tanto por su culto a dioses paganos, sino más bien debido a que el templo fue construido con dinero extranjero (Persa) por los que regresaron de Babilonia (Barker 2000: 282).

El libro de las Lamentaciones describe el juicio, y la posterior destrucción, que cayó sobre la ciudad y el Templo, como consecuencia de ser ramera: "¡Qué solitaria yace la ciudad que una vez estaba llena de gente! ¡Una vez grande entre las naciones ahora es como una viuda!" (Lamentaciones 1:1) "Ni uno de sus amantes está allí para consolarla" (Lamentaciones 1:2b). "Todo el esplendor se ha quitado de la hija de Sión" (Lamentaciones 1:6). por lo tanto, ella cayó en tribulación" (Lamentaciones 1:8). "Llamé a mis amantes, pero ellos me engañaron. Mis *kohanim* (sacerdotes) y ancianos perecieron en la ciudad." (Lamentaciones 1:19). La ramera se unió a extranjeros y adulteró con los reyes de la tierra. La gran ramera era impura y su impureza contaminó toda la tierra (Revelación 18:1-4). Es probable que los esenios, y muchos de los cristianos primitivos, desearan una "Nueva Jerusalén", que significaba un retorno al santuario original del jardín.

"Porque habrá nuevos cielos y una nueva tierra; cosas pasadas no serán recordadas, ellas no vendrán más a sus mentes. Pero encontrarán en ella regocijo y exultación ¡porque contemplen! Estoy haciendo de Yerushalayim [Jerusalén] un gozo, y mi pueblo una alegría. Yo me gozaré en Yerushalayim [Jerusalén] y tendré alegría de mi pueblo. El sonido del gemido nunca más se oirá en ella, nunca más la voz de llanto.

(ISAÍAS 65:17-19)

La ramera en Revelación está sentada sobre muchas aguas, sobre siete montes, y sobre una bestia escarlata los cuales son todos ejemplos de imágenes de templo. En el mundo del *AMO*, se construía un templo en tierra seca sobre las aguas del caos. En este caso, el templo en la "colina" se convirtió en la cama de la ramera (Isaías 57:7). Las aguas revueltas significaban los enemigos de Di-s. Jeremías describe los ejércitos invasores filisteos de esta manera: "El agua está subiendo desde el norte, se convertirá en un torrente que se desborda, inundando la tierra y todo lo que en ella hay, la ciudad y sus habitantes." (Jeremías 47:2). También profetizó que Babilonia finalmente sería destruida: "El mar ha inundado a *Bavel*, la abrumó con sus olas furiosas" (Jeremías 51:42).

El profeta Ezequiel (capítulos 16 y 23) también pintó una imagen gráfica de la Jerusalén infiel mientras ella iba tras "otros amantes" y se envolvió en comportamiento adúltero. Ella cometió "fornicación" con extranjeros — egipcios, asirios, babilonios — como la ramera de Revelación. La bestia era probable un gobernante del imperio extranjero con el que adulteró en el momento de Revelación. Fue el "trono" de Roma que se había instalado en el interior del Templo. Los símbolos como la "imagen de la bestia" y "la ramera", con el tiempo, asumieron diferentes interpretaciones sobre la base de la evolución de las realidades políticas y sus personajes.

> "¡Eres de voluntad tan débil! Dice *Adonaí Elohim*. Haces todas estas cosas, comportándote como una ramera sin vergüenza en triple grado, Aquí está una esposa que comete adulterio, que va a la cama con extraños en vez de con su esposo; pero también, en vez de recibir regalos como cualquier otra prostituta, tú das regalos a todos tus amantes, ¡tú los sobornas para que vengan a ti de todos los lugares para tener sexo contigo!
>
> (EZEQUIEL 16:30,32, 33)

Todos los que citen proverbios citarán este proverbio contra ti: '¡Cuál la madre, tal la hija!' Sí tú eres la hija de tu madre, quien aborrece a su esposo y a sus hijos; tú eres la hermana de tus hermanas quienes aborrecen a sus esposos y a sus hijos; tu madre fue una Hitti y tu padre un Emori.

Además, tu hermana mayor es Shomron, que vive a tu izquierda, ella y sus hermanas; y tu hermana menor que vive a tu derecha es Sodoma con sus hijas.

(EZEQUIEL 16:44-46)

Por esto es lo que *Adonaí Elohim* dice: "Yo te haré a ti como tú has hecho – tú trataste el juramento con desprecio por romper el Pacto. Sin embargo, Yo me acordaré del Pacto que hice contigo cuando eras una niña y estableceré un pacto eterno contigo."

(EZEQUIEL 16:59,60)

La ramera estaba vestida a la manera del Templo. Ella estaba vestida de púrpura y escarlata, y adornada con oro, joyas y perlas (Revelación 17:4) — al igual que las ropas del sumo sacerdote y el velo. Josefo describe el velo exterior frente a la gran puerta del Segundo Templo como una "cortina babilónica, bordada en azul, lino fino, escarlata y púrpura, de una contextura que era verdaderamente maravillosa" (*Guerras de los Judíos* 5.212). El pectoral del sumo sacerdote era de oro puro y piedras preciosas (Barker 2000: 284). Un Tárgum de Isaías dice del sumo sacerdote, "Él me ha cubierto con ropa superior a la justicia, como un novio que es feliz en su cámara nupcial, y como el sumo sacerdote que se engalana con sus ropas, y como una novia adornada con sus joyas." (61.10b) El Imperio romano albergaba las vestiduras del sumo sacerdote y las liberaba sólo en las festividades (*Josefo Antigüedades de los Judíos* 15.403; 18.93, 94). La ramera se había convertido en la consorte de la bestia.

"Pero tú pusiste confianza en tu propia belleza y comenzaste a prostituirte a causa de tu fama, solicitando a todo el que pasaba y aceptando a todos los que venían. Tú tomaste tu ropa y la usaste para decorar los lugares altos que edificaste para ti, y allí continuaste prostituyéndote. Tales cosas no debían suceder, y en el futuro no sucederán.

(EZEQUIEL 16:15,16)

Entonces te bañé en agua, lavé la sangre en ti, y te ungí con aceite. También te vestí con túnica bordada, te di sandalias de cuero fino para que usaras, puse una banda de lino en tu cabeza, y te cubrí con seda. Te di joyas para que las usaras, brazaletes para tus manos, y un collar para tu cuello, un anillo para tu nariz, pendientes para tus oídos y una corona de gloria para tu cabeza. Así fuiste adornada de oro y plata; tus vestiduras eran de lino fino, seda, y ropas bellamente bordadas; comiste la mejor harina, miel y aceite de oliva – estabas ataviada para ser reina.

(EZEQUIEL 16:9-13)

La ramera en la tierra se contrasta con la novia pura, sin mancha vestida de blanco fino en el cielo. Josefo describe el Templo construido de mármol blanco y madera de cedro. Ella (ciudad/Templo) fue la hermosa novia preparada para su novio, el sumo sacerdote. La "mujer vestida de sol" en Revelación 12 simboliza la pureza del Templo, la Jerusalén celestial, que dio a luz a un hijo de su unión con el novio. Los templos en el AMO fueron construidos en una orientación este/oeste, basada en el movimiento del sol, y así con cada amanecer el Templo parecía como si estuviera "vestido" con ropas blancas finas.

El Cantar de los Cantares es probable una alegoría que describe la novia (Templo) con su amante (Di-s/sumo sacerdote) dentro de la cámara de bodas llamado el "canapé": el Santo de los Santos. Rabí Akiva declaró: "El mundo entero no vale tanto como el día en que se le dio el Cantar de los Cantares a Israel; a pesar que todos los escritos son sagrados, pero el Cantar de los Cantares es el Santo de los Santos." En las canciones, "las tiendas de Kedar son oscuras y curtidas (como el Tabernáculo del desierto) y hermosa como las cortinas de Salomón" (Cantares 1:5). La novia es un jardín "cerrado un estanque cubierto, fuente sellada." (Cantares 4:12) y "un huerto, una fuente del jardín y un manantial de agua corriente." (Cantares 4:13, 15) Edén, el santuario del jardín, era la original novia pura y sin mancha.

La hija de Sión era la ciudad de Jerusalén que Di-s prometió reconstruir con piedras preciosas (Isaías 54:11-12). "Tu esposo es tu Creador, el Señor de los ejércitos es Su Nombre" (Isaías 54:5). La mujer, la novia, la hija y la madre, eran todos símbolos de la ciudad restaurada. Pablo se refiere al Templo celestial como una madre: una que produce hijos. "La Jerusalén de arriba es libre y es nuestra madre" (Gálatas 4:26-27). La Nueva Jerusalén se conoce como la ciudad celestial que dio a luz hijos. "Sión es la madre de todos nosotros. Jerusalén, la madre de todos nosotros, es vencida por el dolor y la vergüenza." (2 Esdras 10:7) "El Templo era su tienda" (Lamentaciones 2:4) pero se ha "convertido en una viuda. Una vez princesa entre las provincias, se ha convertido en un vasallo "(Lamentaciones 1:1). "Cuando un hombre ha visto la muerte de su esposa es como si hubiera sido testigo de la destrucción del Templo" (BT *Sanhedrin* 22a).

> Oh Señor, mi Señor, por lo tanto, ¿he venido al mundo para ver las cosas detestables de mi madre? No, mi Señor. Si he hallado gracia en tus ojos, llévate mi espíritu primero para que yo vaya a mis padres, y no vea la destrucción de mi madre. Porque por dos lados estoy siendo presionado: No puedo resistirte, pero también mi alma no puede contemplar el mal de mi madre... Porque si destruyes tu ciudad y entregas tu pueblo a los que nos odian, ¿cómo el nombre de Israel será recordado de nuevo?
>
> (2 BARUC 3:1-4)

La ciudad/la novia del Templo estaba vestida de lino fino

representando las vestimentas de boda: blanca y pura como el sumo sacerdote en el Día de la Expiación. Llevaba un velo de novia que actuaba como la cortina delante del Santo de los Santos. Jerusalén vestida de prendas hermosas figuró que fue reconstruida en piedra fina con bases de zafiro, ventanas que brillaban con rubíes, puertas de granate, y paredes de piedras preciosas (Isaías 54:11,12). En el Salmo 45, uno de los salmos de la boda real de acuerdo a Mowinckle, "La hija del rey se ve espléndida, vestida con trabajo bordado en oro. Entretejida será llevada ante el rey." El salmo describe al sumo sacerdote como un guerrero — cabalgando en el cielo con la espada y vestidos fragantes para encontrarse con su novia (ciudad/Templo) que está vestida como reina.

> Uno de los siete ángeles que tenía las siete copas de las siete plagas se acercó a mí y dijo: "Ven, te mostraré la novia, la esposa del Cordero." Me llevó en el Espíritu a la cumbre de una gran y alta montaña, y me enseñó la ciudad santa, Yerushalayim, descendiendo del cielo de Di-s. Era la *Shekinah* de Di-s, su fulgor era como una joya cuyo precio es inestimable, como un diamante tan claro como un cristal.
>
> (REVELACIÓN 21:9-11)

> También vi la ciudad santa, la nueva Jerusalén, descendiendo del cielo, de Di-s, preparada como una esposa hermosamente vestida para su esposo.
>
> (REVELACIÓN 21:2)

El lenguaje de templo como éste se puede encontrar en toda la Biblia — especialmente en los profetas. Hay una superposición de tales imágenes que muchas veces los símbolos y el lenguaje puede llegar a ser confuso. Es difícil para nuestras mentes "modernas" aceptar que varias cosas pueden ser verdad al mismo tiempo. El Templo puede representar el cosmos, el jardín, la novia, Sabiduría, una esposa, Jerusalén, Israel, la comunidad y la familia. Es evidente que el Templo es mucho más que un edificio físico. Y aunque el Templo no esté de pie, esto no significa que la "iglesia" lo haya reemplazado. Si las Escrituras son eternas, entonces el Templo es atemporal, ya que es el marco para toda la Biblia.

La pregunta que debemos hacernos es si la comunidad de Di-s, y, en particular, su liderazgo, está actuando como una novia o una ramera. ¿Nos hemos unido en una alianza impía con el mundo, especialmente en el ámbito financiero? Podríamos discutir que la Babilonia de hoy es el "gobierno". ¿Se ha convertido el gobierno en el opresor extranjero y la "bestia?" ¿Hemos descuidado nuestra responsabilidad de cuidar de los pobres, viudas, huérfanos, al desamparado y al oprimido — entregándolos al gobierno? ¿Hemos permanecido en silencio frente a más de cincuenta y de ocho millones de abortos (en los E.U.), las sanciones de los tribunales a los matrimonios del mismo sexo, la floreciente pornografía y la industria del tráfico sexual? ¿Nos hemos hecho de la vista gorda a la corrupción y la injusticia? ¿Somos, la comunidad de fe, culpables de la situación actual de las cosas? Si es así, nos hemos colocado a nosotros mismos bajo un yugo pesado y nos hemos convertido en esclavos — no siendo diferentes a Israel en Egipto bajo el Faraón. Hemos abierto las puertas a los "extranjeros" para que opriman a la gente de Di-s, principalmente debido a nuestro silencio. Hemos sido atraídos por la ramera y hemos comido del Árbol del Conocimiento del Bien y el Mal.

La obsesión acerca de los "últimos tiempos" ha paralizado a muchos de comprometerse con la cultura y el tratar de hacer una diferencia. Esta preocupación sólo sirve para hacerle cosquillas a los oídos y hacer a algunos ricos, famosos y populares en el mundo cristiano. No sabemos el futuro. Pero con la Sabiduría que se nos ha dado libremente, podemos juzgar el futuro sobre la base de patrones bíblicos e históricos.

Por desgracia, muchos han adoptado un enfoque

fantasioso — contentos en creer que "la gran tribulación" está sobre nosotros y que no hay nada que se pueda hacer. Algunos se comportan como autómatas indefensos que esperan el retorno de *Yeshúa*. De este modo, rechazamos el mayor regalo que Di-s le ha dado a la humanidad: la capacidad de elegir y cambiar. La destrucción del Segundo Templo en el primer siglo fue el resultado de decisiones tomadas por el liderazgo. Pudo haber sido diferente si hubieran elegido arrepentirse y volverse a Dios.

El Templo reflejaba la condición espiritual del pueblo de Di-s. Si somos ciertamente Su "Templo del Espíritu Santo," esto no ha cambiado. Di-s juzgará a Su propia Casa con opresores extranjeros. Es hora de que los líderes calculen el costo, hablen en contra de los males de nuestro tiempo, y asuman la responsabilidad por sus ovejas. Los profetas nunca retuvieron sus críticas a los pastores que llevaban las ovejas por mal camino, y Di-s sin duda pedirá cuenta a los líderes cristianos.

Los cristianos ahora se encuentran marginados y exiliados en las mismas márgenes de la sociedad. En lugar de retirarse, es el momento de intensificar, renovar nuestra relación con Di-s, y reconstruir la Casa antes de que sea destruida al igual que el Primer y Segundo Templos. Es tiempo de restaurar la unidad del séptimo día y ver el Reino establecido en la tierra como en el cielo. El mensaje de Di-s es mirar arriba por nuestra redención y ayudar a aquellos que se encuentran dispersos a volver al redil y ser alimentados en pastos verdes (una expresión idiomática para el Templo). Esta tarea ha sido dada a "Su pueblo" que son Su Santo Templo: ser Sus manos extendidas por toda la tierra.

Que sea tu voluntad, *HaShem* nuestro Di-s y Di-s de nuestros antepasados que el Santo Templo sea reconstruido, pronto en nuestros días. Concédenos los que nos corresponde en tu Torá y que podamos servirte con reverencia.

(LA ORACIÓN Y'HI RATZÓN)

Entre la Vida y la Muerte

Cuán hermosas son tus tiendas, oh Jacob, tus moradas oh Israel. En cuanto a mí, a través de tu bondad abundante entraré en tu Casa; Me postraré ante tu Santo Santuario en asombro de ti. O *HaShem*, amo la Casa dónde moras y el lugar donde Tu gloria reside.

(MAH TOVU BENDICIÓN DE LA MAÑANA)

En el mundo del *AMO*, que incluye la Biblia, las historias de la creación estaban conectadas a la edificación de un templo. "En el principio" no fue una cronología de acontecimientos, sino más bien la construcción de un templo con Di-s como el diseñador y artesano maestro. Junto con Sabiduría, Di-s edificó Su Casa cósmica. La estableció a través de un pacto/juramento basado en siete declaraciones: las primeras siete palabras de la Biblia. El pacto, similar a un pacto matrimonial, selló los lazos entre Di-s y Su creación. Para construir una casa representa la unión del varón y la mujer con el fin de producir descendencia para continuar la línea familiar. "Sin embargo, al comienzo de la creación, Dios los hizo varón y hembra." (Marcos 10:6) Cada "casa" en el mundo natural debía seguir el patrón establecido por el mundo eterno. "Por siempre, desde la creación del universo, Sus cualidades invisibles, tanto Su eterno poder como Su naturaleza Divina han sido vistas claramente, porque pueden ser comprendidas por todo lo que ha hecho. Por lo tanto no tienen excusa." (Romanos 1:20)

La creación del atrio exterior del Templo era el cosmos. El atrio interior era el jardín. La cámara interior "en medio" del santuario donde estaban los dos árboles: el Árbol de la Vida y el Árbol del Conocimiento del Bien y el Mal. El Árbol de la Vida, representó la menorá, representó Sabiduría, la novia de Di-s. La Torá fue la personificación de la Sabiduría y fue el manual de instrucciones para que una casa funcione sanamente. El Árbol del Conocimiento, por el contrario, representa la Enajenación que era la ramera. El cosmos fue creado y mantenido a través de conjuntos de opuestos para que la humanidad pudiera ejercer el libre albedrío y escogiere entre la Muerte y la Vida. El regalo más grande que Di-s infundió en la humanidad fue la capacidad de elegir. Al hacerlo, el destino de uno puede ser determinado. Ambos árboles fueron considerados kedushá, santos y apartados, porque cada uno tenía una función y papel específico que desempeñar. Adán y Eva no podían comer del fruto del Árbol del Conocimiento. Comer su fruto causó su muerte: lo contrario de la vida. La muerte significa la separación permanente y la imposibilidad de reproducir vida. ¡La gran comisión, por el contrario, era la de "ir y llenar el cosmos con los Hijos de Di-s" y "ser fructíferos y multiplicarse y llenar la tierra" con vida! Este es lenguaje de construcción de templo.

La Biblia cuenta la historia de aquellos que fueron llamados por Di-s para reconstruir Su casa y mantener a Su pueblo. Noé construyó un arca para proteger y preservar a su familia. Los Patriarcas expandieron sus tiendas de campaña y, al hacerlo, construyeron la Casa de Israel. Moisés supervisó la construcción del Tabernáculo en el desierto: el lugar donde Di-s habitaría en medio de su pueblo y convertirse en un cerco de protección para Israel de sus enemigos. Bezalel y Oholiab fueron los maestros artesanos del Tabernáculo. Al Rey David se le dieron los planos para el Primer Templo a través del Espíritu de Di-s. Salomón supervisó su construcción e Hiram fue su maestro artesano. El Templo trajo la unidad de la nación. Cuando los exiliados regresaron de Babilonia, Esdras supervisó la construcción del Segundo Templo. Fue una Casa modesta en comparación con la gloria del Primer Templo. El Rey Herodes amplió ese Templo a su máxima extensión hasta que fue destruido por Roma en el año 70 EC. Fuera de las cenizas del Templo físico llegó una nueva casa espiritual. Se inició con el cuerpo resucitado de *Yeshúa* el Mesías. Su Casa se basó en el modelo de los anteriores "templos", pero era una entidad viva, construido a través de los hijos vivientes de

Di-s. Este templo también fue construido sobre una base de piedras preciosas: el fundamento de los apóstoles.

En el Tabernáculo original, el sumo sacerdote rociaba la sangre de un toro y un macho cabrío en el *kaporet* y el *parokhet* en el Santo de los Santos en el Día de Expiación. Este ritual trajo restauración temporal a través de la acción de limpieza de la sangre, ¡ya que en "la sangre" se sustenta la vida! "Porque la vida de toda carne está en su sangre, y Yo la he dado a ustedes en el altar para hacer expiación por sus almas; porque es la sangre la que hace expiación a causa de la vida." (Levítico 17:11). La aspersión de la sangre de *Yeshúa* en el Lugar Santísimo "celestial" permanentemente limpió y restauró el pacto quebrantado. El Nuevo Pacto, es decir, el Pacto Restaurado de la Creación, se logró a través de su sangre. *Yeshúa* profetizó: "Destruyan este templo y en tres días Yo lo levantaré de nuevo." (Juan 2:19). Él estaba hablando de "su cuerpo" (v.21). Había sido enviado por su Padre a reconstruir el "tabernáculo [*sukkah*] caído" y restablecer los lazos rotos de la alianza original a través de la sangre.

Pablo habló de la comunidad redimida utilizando un lenguaje de construcción del templo: una nueva creación, una tienda de campaña, un campo, el edificio de Di-s, una casa para el Espíritu, y piedras vivas. Esto probablemente fue basado en su entendimiento de que "en el principio", fue el marco para la cósmica Casa de Di-s y que este patrón se repitió en el cosmos, la familia humana, el Tabernáculo, el Primer Templo, el Segundo Templo, y el Cuerpo del Mesías.

> De modo que si alguno está unido con el Mesías, creación renovada es; lo viejo ha pasado; ¡Contemplen, lo que ha venido es fresco y nuevo!
>
> (2 CORINTIOS 5:17)

Sabemos que cuando nuestro tabernáculo, el que nos resguarda aquí en la tierra se derrumbe, tenemos un edificio permanente de Di-s, un edificio que no está hecho por manos humanas, para resguardarnos en el cielo. Porque en este tabernáculo, nuestro cuerpo terrenal, gemimos con deseos de tener alrededor de nosotros el hogar del cielo, el cual será nuestro.

(2 CORINTIOS 5:1,2)

Porque somos los ayudantes de Di-s; ustedes son el campo de Di-s, el edificio de Di-s. Ustedes, la misericordia que Di-s me dio, yo puse los cimientos como un perito constructor, y otro edifica encima. Pero que cada uno tenga cuidado como construye. Porque nadie puede poner otro fundamento que el que ya está puesto, el cual es Yeshua el Mesías. Algunos usarán oro, plata, piedras preciosas para edificar sobre este cimiento, mientras otros usarán madera, hierba, paja. La obra de cada uno se demostrará por lo que es; aquel Día la declarará, porque será revelada por el fuego, el mismo fuego probará la calidad de la obra de cada uno (Este es el *Brit Esh* — el Pacto de Fuego).

(1 CORINTIOS 3:9-13)

¿No saben que son templo de Di-s, y el Espíritu de Di-s vive en ustedes? Por tanto, si alguno destruye el templo de Di-s; Di-s le destruirá a él, porque el templo de Di-s es santo, y ustedes mismos son el templo.

(1 CORINTIOS 3:16,17)

Según vienen a Él, la Piedra viva, ciertamente rechazada por hombres, pero escogida por Di-s y preciosa para Él, ustedes mismos, como piedras vivas, están siendo edificados como casa en el espíritu, para ser kohanim apartados para Di-s, para ofrecer sacrificios del espíritu aceptables a Él por medio de Yeshua el Mesías.

(1 PEDRO 2:4, 5)

Yeshúa, el hijo del maestro artesano, fue lleno de sabiduría, conocimiento y el entendimiento necesario para reconstruir la Casa de Di-s. Entró en el mundo fuera del tiempo, reconstruyó el Templo cósmico, y se sentó en el trono al lado del Padre para gobernar y reinar en justicia, rectitud y misericordia. Él es la resurrección y la vida. "En él estaba la vida, y la vida era la Luz de la humanidad" (Juan 1:4).

He aquí el hombre cuyo nombre es *Tzemach* [el retoño]. El retoñará desde su tallo y reedificará el Templo de Adonaí. Sí, Él recibirá poder y se sentará reinará sobre su trono.

(ZACARÍAS 6:12,13)

El mensaje de la Casa de Di-s es vida y vida eterna. Por lo tanto... ¡ELIJA LA VIDA! ¡Edifique su casa y reproduzca fruto de su propia especie por el bien de la familia de Di-s! ¡Elija Sabiduría — es la verdad que le hará libre!

"Yo llamo al cielo y la tierra para testificar contra ti hoy que yo te he presentado con la vida y la muerte, la bendición y la maldición. Por lo tanto, escoge vida, para que vivas, tú y tu descendencia, amando al Señor tu Di-s, prestando atención a lo que Él dice y sujetándote a Él – ¡porque ese es el propósito de tu vida! De esto depende el lapso de tiempo que vivirás en La Tierra que el Señor juró que Él le daría a tus padres Abraham, Isaac y Jacob."

(DEUTERONOMIO 30:19,20)

EPÍLOGO

Oh nuestro Rey y nuestro Di-s, has que Tu Nombre unifique al mundo; reconstruye Tu ciudad, sienta las bases de Tu Casa, perfecciona Tu Santuario, reúne a los exiliados dispersos, redime Tus ovejas y alegra Tu congregación...

A pesar de que nuestra travesía en busca del propósito y la función del Templo ha sido reflexiva y tal vez a veces un poco abrumadora, el mensaje central de este libro, querido lector, es realmente muy simple: Se trata de construir una casa y una familia que dé a luz nueva vida. Esto se hizo muy claro en mis últimos días de escritura.

Cuando estaba terminando mi trabajo, mi muy querida amiga Mónica estaba luchando contra una de las mayores plagas de nuestro tiempo: cáncer. Estoy agradecida de haber tenido la oportunidad de hablar con ella por teléfono antes de que ella comenzara a perder el conocimiento. Le pregunté si quería compartir algunas reflexiones con mis lectores acerca de cómo su relación con Di-s y su Mesías la había profundizado a través de este difícil viaje. Por desgracia, eso nunca ocurrió. Hubo un evento en el hospital, sin embargo, que resultó providencial.

La hija de Mónica le preguntó si entendía lo que estaba ocurriendo a su alrededor. "¿Puedes oír la familia hablar y orar?" "¿Estás hablando con Di-s?" "¿Qué está pasando por tu mente?" Mónica respondió que su mente se calmó por completo, y entonces ella escuchó una voz. ¡La voz le pidió hacer una elección entre la vida y la muerte! Mónica explicó que cuando eligió la vida todo se quedó en silencio de nuevo. Ella escucho la misma pregunta repetidas veces: "¿Escoges la vida o la muerte?" Al principio se sentía casi molesta. En repetidas ocasiones eligió la vida, y la tranquilidad regresaba. Todos asumimos que, por supuesto, la elección de la "vida" significa aquí en la tierra, pero todo lo contrario ahora parece más probable. La vida que estaba eligiendo era la vida eterna en Su Casa celestial.

Era un domingo por la tarde cuando una mujer diminuta, de edad avanzada entró en la habitación del hospital a limpiar. Ella nunca pronunció una palabra. Ella acabó de limpiar y luego se marchó. Un momento más tarde, sin embargo, ella regresó. En una voz apenas audible, dijo: "Di-s está escuchando, y Él es el Aliento de la Vida." Con eso se fue otra vez. La hija de Mónica corrió a la puerta y miró a ambos lados del pasillo en ambas direcciones — pero no había nadie. Ella corrió a la estación de enfermeras para preguntar acerca de esta "ama de llaves", pero se le dijo que nadie limpiaba las habitaciones los domingos. Parece que un mensajero fuera del tiempo, desde la sala del trono del cielo, trajo la Palabra del Señor: ¡ESCOGE VIDA! Él es la vida; ¡Él es la vida; ¡Él es el aliento de la vida y hasta el aire que respiramos! ¡Solo Él puede hacer de esta vida llevadera y prepararnos para la próxima!

Mónica ferozmente estaba determinada a vivir. Ella pasó su último mes en el hospital luchando por su vida. Cada día era una montaña rusa entre mejorías y retrocesos. Después de que el personal removió su tubo de alimentación, todo el mundo se preparó para dejarla ir. Al día siguiente, sin embargo, había recuperado algo de su fuerza y se había vuelto más alerta. Su función renal volvió, y la hinchazón le dejó la cara. Ella

Ella claramente se determinó en celebrar el séptimo cumpleaños de su hijito que estaba a sólo unos cuantos días.

Su último deseo fue dejar el hospital para estar con su familia en casa. El Padre honró ese deseo; ella murió con toda tranquilidad— rodeada por aquellos a quienes más amaba.

Mónica hizo las paces y entró en ese lugar secreto e íntimo con Él— debajo de Sus alas en el refugio de Sus brazos amorosos — el lugar del Santo de los Santos donde los ángeles cantan y el descanso viene. Ella sería la primera en decirte que nutras tus relaciones más cercanas y muestreś amor, misericordia y compasión todos los días a los que te rodean. No soy más que el recipiente llamada por Di-s para escribir sobre ese lugar secreto. Monica, por otra parte, es la que realmente lo ha experimentado. Y así le dedico a ella ésta obra. Has entrado en Su reposo, mi querida amiga; ¡te veré en la Gloria!

El Espíritu es el que da vida; la carne para nada aprovecha.
Las Palabras que les he hablado son Espíritu y son Vida.

JUAN 6:63

BIBLIOGRAFÍA

(*Nota: Todos los recursos utilizados son en inglés. Los títulos fueron traducidos para mejor comprensión al lector.*)

Apócrifos y Pseudepigrafico del Antiguo Testamento (2004), 2 vols, ed. RH Charles, Berkeley: Apocryphile Press.

Talmud de Babilonia (1935-1952), 35 vols, Londres: Soncino Press.

Barker, M. (1995) *En la Tierra como en el Cielo: Simbolismo del Templo en el Nuevo Testamento*, Edimburgo: T & T Clark.
_____ (2000) *La Revelación de Jesucristo*, Edimburgo: T & T Clark.
_____ (2004) *Teología del Templo*, Londres: SPCK.
_____ (2007) *Temas del Templo en el Culto Cristiano*, Londres: T & T Clark.
_____ (2008) *La Puerta del Cielo: La historia y Simbolismo del Templo en Jerusalén*, Sheffield, Inglaterra: Phoenix Press.
_____ (2010) *Creación: Una Visión Bíblica del Medio Ambiente*, Londres: T & T Clark.
_____ (2011) *Misticismo del Templo: Una introducción*, Londres: SPCK.

Beale, GK (2004) *El Templo y la Misión de la Iglesia: Una Teología Bíblica de la Morada de Dios*, Illinois: Inter Varsity Press.

Benner, JA (2005) *El Léxico del Hebreo Antiguo de la Biblia*, College Station, TX: Virtualbookworm.com publicación.

Bereishis (1986) 2 vols, Brooklyn: Mesorah.

Berlyn, P. (2005) *El Viaje de Taré: a Ur-Kasdim o Urkesh, vol. 33, No. 2* Jewish Bible Quarterly. 33, No.2 Biblia Judía Trimestral.

Berman, J. (1995) *El Templo: Su Simbolismo y el Significado de Antes y Ahora*, Eugene, OR: WIPF y Stock Publishers.

Brooke, GJ (2005) *Rollos del Mar Muerto y el Nuevo Testamento*, Minneapolis: Fortress.

Briggs, RA (1999) *Imágenes del Templo Judío en el Libro de Revelación,* NYC: Peter Lang.

Charlesworth, James H. (1985) *El Antiguo Testamento Pseudepigrafico,* 2 vols, Garden City: Doubleday.

Clements, RE (1965) *Dios y el Templo,* Oxford: B. Blackwell.

Clorfene, C. (2005) *El Templo Mesiánico: Entendiendo la Profecía de Ezequiel,* Jerusalén: Menorah Books.

Culi, Y. (1989) *La Antología de la Torá: Me'am Loez Levitico-I, trad.* A. Kaplan. Brooklyn: Moznaim.

Danby, H. (reprinted 1989), *La Mishná,* trans. H. Danby. Oxford: Oxford University Press.

Daube, D. (1998) *El Nuevo Testamento y el Judaísmo Rabínico,* Peabody, MA: Hendrickson.

De Vaux, R. (1973) *El Antiguo Israel: Su Vida e Instituciones,* Londres: Darton, Longman & Todd.

Dever, William G. (2005) *¿Tiene Dios una Esposa?: Arqueología y Religión Folclórica en el Antiguo Israel,* Grand Rapids: William B. Eerdmans.

DeConick, April D. (2011) *La Misoginia Santa: ¿Por qué los Conflictos de Sexo y Género en la Iglesia Primitiva Todavía Importan,* NY: Bloomsbury.

Diccionario de Deidades y Demonios en la Biblia (1995), 2nd ed., Van Der Toorn, Becking, Van Der Horst. Grand Rapids: Wm. B. Eerdmans.

Day, John (1986) *Asera en la Biblia Hebrea y Literatura del Noroeste Semítico,* Oxford: Oxford University Press.

Edersheim, A. (1994) *El Templo: Su Ministerio Y Servicios,* Peabody, MA: Hendrickson.

Falk, H. (2002) *Jesús los Fariseos,* Eugene, OR: WIPF and Stock Publishers.

Fisher, Loren (1963) *Recintos del Templo,* Revista de Estudios Semita 8 (Primavera)

Flusser, D. (2009) *Judaísmo del Segundo Templo,* 2 vols, Grand Rapids: William B. Eerdmans.

Fox, Michael V. (2000) *Ancla de la Biblia Yale: Proverbios 1-9*, New Haven, CT: Yale University Press.

Ginsburgh, Y. (1991) *El Alef Beit: Pensamiento Judío Revelado a través de las Letras Hebreas*, Northvale, NJ: Aronson.

Ginzberg, L. (1909-38) *Leyendas de los Judíos*, 7 vols,

Good, Joseph (2015) *Midiendo el Patrón volumen 1: Un Estudio de las Estructuras que Rodean el Atrio Interior del Templo*, Nederland, TX: Joseph Good.

Heschel, AJ (1975) *Los Profetas*, 2 vols, NY: Harper.

Hurowitz, V. (1992) *Te he Construido un Casa Exaltada: Edificando el Templo en la Biblia a la Luz de Mesopotamia y Escrituras Semíticas del Noroeste*, Sheffield, Inglaterra, Academic Press.

_____ (1985) *El Relato Sacerdotal de la Construcción del Tabernáculo*, Revista de la Sociedad Americana Oriental, 105,1.

Instone-Brewer, D. (2004) *Tradiciones de los Rabinos de la Época del Nuevo Testamento: La Oración y la Agricultura*, Grand Rapids: William B. Eerdmans.

Interlinear Chumash (2008) 5 vols, Artscroll Series, Brooklyn: Mesorah.

Keil and Delitzsch (2011) *Comentario Sobre el Antiguo Testamento: Isaías, vol. 7, trans. 7*, trans. James Martin, Peabody, MA: Hendrickson.

Kline, M. (1999) *Imágenes del Espíritu*, Eugene, Oregón: WIPF y Stock Publishers.

Kitov, E. (1997) *El Libro de Nuestro Legado: El Año Judío y sus Días de Importancia, 3 vols*, Jerusalén: Feldheim.

Levenson, JD (1985) *Sinaí y Sión: Una Entrada en la Biblia Judía*, New York: Harper & Row.

Lundquist, John M. (2008) *El Templo de Jerusalén: Pasado, Presente y Futuro*, Westport, CT: Praeger.

Marcus R., and Thackeray, H. St. J. (1927) *Josefo, 12 vols*, Loeb Classical Library, Cambridge, MA: Harvard University Press.

Meshel, Ze'ev (1979) *¿Tuvo Yahweh una Consorte?* Vol. 5, No. 2, Marzo / Abril. BAR.

Midrash Tanchuma (1935) 2 vols, Jerusalén: Eshkol.

Milgrom, J. (2004) *Levítico*, Minneapolis: Fortress.

Mishná Seder Moed Vol. 2 (1984), trad. P. Kehati, Israel: Maor Wallach Press.

Mishná Torá (Inglés), trad. Eliyahu Touger, Chabad.org.

Moore, GF (1997) *Judaísmo en los Primeros Siglos de la Era Cristiana,* 2 vols, Peabody, MA: Hendrickson.

Morrow, Jeff (2009) *Creación como Construcción de Templo y Trabajo como Liturgia en Génesis 1-3,* Centro ortodoxa para el Avance de los Estudios Bíblicos 2, no. 1.

Mowinckle, Sigmund (2004) *Los Salmos en el Culto de Israel,* Grand Rapids: William B. Eerdmans.

Munk, ML (1983) *La Sabiduría en el Alfabeto Hebreo: Las Letras Sagradas como Guía para la Escritura y Pensamiento Judío,* Brooklyn: Mesorah.

Nickelsburg, George WE & Vanderkam, James C. (2004) *1 Enoc: Una Nueva Traducción,* Minneapolis: Fortress.

Oliver, Isaac W. (2013) *Simón Pedro conoce a Simón el Curtidor: El Ritual Insignificante del Curtidor en el Judaísmo Antiguo,* Cambridge: Cambridge University Press.

Patai, R. (1947) *El Hombre y Templo en el Mito y el Ritual Judíos,* Nueva York: KTAV Publishing.
_____ (1979) *Los Textos del Mesías,* Detroit: Wayne State University Press.
_____ (1990) *La Diosa Hebrea* 3era edición, Detroit: Wayne State University.

Patai, R. & Graves, R. (1964) *Los Mitos Hebreos,* NYC: Doubleday.

Patterson, David (2005) *Lengua Hebrea y el Pensamiento Judío,* NY: Routledge.

Raanan, Y. *El Altar de Incienso y la Menorá,* Chabad.org .

Rashi (1972) *Comentario de la Torá,* 5 vols, trans. M. Rosebaum and NM Silbermann, Jerusalem: Silberman.

Revelación (1975) trans. por J. Massyngberde Ford, New Haven, CO:

Yale University Press.

Rittmeyer, L. (2006) *La Búsqueda: Revelando el Monte del Templo en Jerusalén*, Jerusalén: Carta.

Stern, D. (1992) *Commentario Judío del Nuevo Testamento*, Clarksville, MD: Jewish New Testament Publications.

Schwartz, H. (1993) *El Palacio de Gabriel: Cuentos Místicos Judíos* NY: Oxford University Press.

Templo en la Antigüedad (1984) ed. T.G. Madsen, Salt Lake City, UT: Bookcraft.

El Nuevo Testamento Apócrifo (2004) trans. MR James, Berkeley, CA: Apocryphile Press.

The Aryeh Kaplan Anthology (1975), 2 vols, Brooklyn: Mesorah.

El Sidur Completo Artscroll (1985), Brooklyn: Mesorah.

El Antiguo Testamento Pseudipigrafico (1983-1985), ed. JH Charlesworth, 2 vols, Garden City, NY: Doubleday.

Las Obras de Josefo (2000), trad. W. Whiston, Peabody, MA: Hendrickson.

Las Obras de Philo (1993), trad. CD Yonge, Peabody, MA: Hendrickson.

Tosefta (2002), 2 vols, trans. J. Neusner, Peabody, MA: Hendrickson.

Trumball, HC (1975) *El Pacto de Sangre*, Kirkwood, MO: Impact Books.
_____ (2000) *El Pacto del Umbral*, Kirkwood, MO: Impact Books.

Van Leeuwen, Raymond C. (2007) *Cosmos, Templo, Casa: Construcción y Sabiduría en la Antigua Mesopotamia e Israel, ed.* Richard Clifford, *Literatura Sapiencial en Mesopotamia e Israel, No. 36, 36,* Atlanta: Society of Biblical Literature.

Vayikrá (1989), Brooklyn: Mesorah.

Vermes, Geza (1981) *Jesús el Judío*, Filadelfia: Fortress.
_____ (1997), *Los Rollos Completos del Mar Muerto* en Inglés, Londres: Penguin.

Walton, JH (2006) *Pensamiento del Antiguo Medio Oriente y el Antiguo Testamento*, Grand Rapids: Baker Books.

_____ (2009) *El Mundo Perdido del Génesis Uno: Cosmología Antigua y los Orígenes del Debate*, Illinois: Inter Varsity Press.

Weinfeld, M. (1981) *Shabbat, Templo y la Entronización del Señor - El problema de la Sitz im Leben de Génesis 1:1-2: 3.*

Widengren, G. (1951) *El Rey y el Árbol de la Vida en la Religión del Antiguo Medio Oriente*, Uppsala: Lundequist.

Yechezkel (1977), Brooklyn: Mesorah.

GLOSARIO

Ajarei Mot - Después de la muerte, Parashá: Levítico 16
Ajarit haYamim – últimos días, el futuro
Adam - sangre de Di-s
Adamah - rojo, tierra, suelo
Adonai - Señor, sustituto de *YHVH*
Aharon - Aarón
Ahzar - ayuda
Ana Beko'ach - We beg you
AMO – antiguo medio oriente
Ana Beko'ach - Te rogamos
Aravot - el séptimo cielo, sauces, valle en el Negev
Argamon - púrpura
Aron - Arca
Asherah - árbol, diosa madre
Ashrei - digno de elogio, honorable
Avram - Abram
Avraham - Abraham, padre de muchos
Azarah – patio, atrio

Ba'al - maestro, dios cananeo
Bamot - lugares altos
Bar - grano
Bara - crear
Bara Shtei - dos creados
Bat - hija
Bat Kol - hija de la voz
Batsheva - hija de siete, Betsabé
Bavel - Babilonia, Caldea
Beersheva – pozo de siete o juramento, ciudad en el Negev

Beit Avtinas - casa de Avtinas, fabricantes de incienso

Beit HaParvah - casa del curtido de las pieles

Beit - casa

Beit Hamikdash - Casa del santuario

Beit Rosh - casa cabeza o casa principal

Ben - hijo

Benai - niños, plural de hijo

Bereshit - en el principio, Génesis

Binah - comprensión

Brit - pacto, cortar

Brit Hadashá – pacto renovado, nuevo pacto, Nuevo Testamento

Brit Esh - Pacto de Fuego

Brit Milá - Pacto de corte, circuncisión

BT - Talmud de Babilonia

Chavah - Eva

Chachmah - sabiduría

Chag HaMatzah - Fiesta de Panes sin Levadura

Charan - ciudad del norte de Mesopotamia

Cheruv - querubín

Cheruvim - dos figuras angelicales encima del Arca de la Alianza

Chilazon - caracol

Chokmah - sabiduría

Chol HaMoed - días intermedios para las fiestas de Pascua y *Sukkot*

Cohen - sacerdote

Cohanim - sacerdotes

Da'at - conocimiento

Debir - Santo de los Santos o Lugar Santísimo

Devar - hablar

Devorah - abeja, comunidad

Eish - hombre

Eishah - mujer

Eishet Chayil - Mujer de Valor o Mujer Virtuosa Proverbios 31

Elisheva - mi Dios es siete, Elizabeth

Elohim - nombre para Dios, plural de El

Eretz - tierra, la tierra

Etz Chaim - Árbol de la Vida

Etz Shemen - árbol de aceite

Erusín - segunda etapa del matrimonio

Esh - fuego

Even Shettiyah - primera piedra, piedra angular, piedra de la
bebida

Ezrat Kohanim - Atrio de los Sacerdotes

Ezrat Nashim - Atrio de las Mujeres

Ezrat Israel - Atrio de Israel

Gan Eden - jardín en Edén

Genizah - lugar de enterramiento

Guijón - vientre, chorro, matriz, la primavera en Jerusalén

Haftará - porción de los profetas después de leer la Torá

HaKódesh - el Lugar Santo

Hakhel – recolección, asamblea, reunión

Har - montaña

HaShem - el nombre utilizado como un sustituto para el
nombre de Di-s en la conversación

Hekal - santuario

Hoshanna rabá - gran salvación

Hoshen - pectoral del sumo sacerdote

Ya'acov - Jacob

Y'itzchak – Isaac

Kadosh - santo, apartado, separado

Kaf - palma de la mano, pala para el incienso

Kal - completo

Kallah - novia

Kapporet – tapa, cubierta

Kedushá - santificado, dedicado, consagrado, puesto aparte
    (también puede ser una ramera)

Kiddushín - etapa del compromiso del matrimonio

Ketoret - incienso

Kodesh - holy *Kodesh* - santo

Kodesh haKodeshim - Santo de los Santos, Lugar Santísimo

Kohanim - plural para sacerdotes

Kohen - sacerdote

Kohen Gadol - Sumo Sacerdote

Kol - voz

K'por – helado

Lashon Harah - mala lengua, lengua despectiva

Levonah - incienso

Levon - blanco

Livyathan - Leviatán

Lujot Haeven - Tablas de Piedra

Ma'aleh Ashan - humo que se eleva de hierbas

Ma'amad – los que se mantienen en pie

Ma'aseh Merkavá - obras del carro

Malkat Sheva - Reina de Saba

Malkut - reino

Malkut Shemayim - Reino de los Cielos, Reino de Di-s

Mashal - parábola, proverbio, dominio, gobierno

Maschiach - Mesías

Matzá - pan sin levadura

Mayim - agua

Mayim Hayim - agua viva

Melech - rey

Menorah - Candelabro de siete brazos

Midrash - interpretación
Mikve - baño de inmersión
Minchah - servicio de oración de la tarde, regalo, ofrenda de
    grano
Miriam - María
Mikdash - Santidad
Mikve - baño de inmersión
Mishkan - Tabernáculo
Mislei - Proverbios
Mitzvot - mandamientos
Mizbeach - altar
Mizrak – recipiente usado para transportar sangre
Moshe – Moisés

Nach - huelga

Ohel Moed - Tienda de Reunión
Olam Haba - eternidad, el Mundo Venidero
Olam Hazeh - este mundo, mundo físico
Or - luz
Oren - árbol de pino

Palhedrin - una cámara en la azotea del Templo
Parokhet - cortina, velo
Pargod - una cortina de la lengua persa
Pelusium - término egipcio para prendas blancas de lino fino
Pésaj - Pascua

Rach - seguir un camino prescrito
Rachaf - flotar, mover, revolotear como un pájaro
Rachav - orgulloso, Rahab
Racham - piedad, misericordia
Rakiah - firmamento, extensión
Rav Shaul - Rabino Pablo
Rosh - cabeza

Rosh Chodesh - la luna nueva, cabeza o principio de mes

Rosh Hashaná - Año Nuevo, cabeza del año

Ruach - espíritu

Ruach Elohim - Espíritu de Dios

Ruaj HaKodesh - Espíritu Santo

Seraphim - quemado

Shajarit - mañana, servicio de oración de la mañana

Shalach - enviar

Shabbat - sábado, el séptimo día, descanso, reposo

Shavua - semana

Shavuot - Fiesta de las Semanas, Pentecostés

Shekan - habitar

Shekinah – Presencia Divina o presencia interior

Sem HaMeforash - nombre inefable

Shema - escuchar, Escucha, Israel - primeras palabras de la oración que proclama la unidad de Di-s

Shemayim - cielos

Shemot - Éxodo

Sheva - siete, juramento

Sheish - lino, seis

Shiloaj - estanque del enviado

Shitin - ejes

Shlomo - Salomón

Sh'mittah - séptimo año de la liberación de la tierra

Shofar – trompeta o cuerno de carnero

Shtei haLechem - dos panes

Siddur - libro de oraciones en hebreo, orden

Simcha Beit haShoevah - Regocijo en la Casa del Derrama-miento del Agua, libación de agua

Sukkah - tienda de campaña, refugio temporal

Sukkot - Fiesta de Tabernáculos

Tahor - puro

Tamai - impuro, contaminado

Tanakh - Antiguo Testamento

Targum - paráfrasis aramea de la Biblia Hebrea

Techelet - colorante azul de Chilazón, un molusco marino

Tehillim - Salmos

Tehom - aguas profundas, abismo

Terach - el padre de Abraham

Teruah – soplo explosivo del shofar

Teshuvá - arrepentimiento

Tevillah – inmersión, bautismo

Tikun Olam - el restablecimiento del universo

Tishá B'Av - noveno día del quinto mes Av

Tishri - séptimo mes del calendario hebreo, por lo general
    entre Sept/Oct.

Tolat Sheni - tinte rojo carmesí de un gusano

Toldot - generación, historia, cuento, tener hijos

Tov - bueno

Tov Ma'od - muy bueno

Torah - instrucción, ley, los primeros cinco libros de la Biblia

Tzadik - justo

Tzitzit - flecos anudados de una manera especial y se unen a
    una prenda por las cuatro esquinas

Tzion - Sión

Tzemaj – brote, retoño

Ulam - pórtico del Templo

Yam - sea *Yam* - mar

Yehoshua - Joshua

YHVH - nombre impronunciable de Di-s, Tetragramatón

Yireach - Luna

Yom - día

Yom haKippurim - Día de Expiaciones

Yom Echad - Un día o Día Uno

Yom Teruah - Día de la Ráfaga del *Shofar*, Trompetas

Yeshua - Jesús
Yocheved - Gloria de Yah

Zekan - anciano
Zera - semilla
Zevaj - sacrificio
Z'kharyah - Zacarías
Zur - dispersos o distanciado

EL TEMPLO REVELADO
EN EL JARDÍN

En *El Templo Revelado en el Jardín, Dina Dye nos lleva a un viaje al Santuario del Jardín.* Adán y Eva están sirviendo como sacerdotes en el Espacio Sagrado de Di-s. El lector descubrirá cómo Adán funcionaba como sumo sacerdote como él "trabajaba" y "protegía" el jardín, cómo se vistió con ropas sacerdotales, y cómo él ministró en el oficio sacerdotal. El significado detrás de los símbolos conocidos, como el Árbol de la Vida y el Árbol del Conocimiento del Bien y el Mal será explorado en detalles vividos. Otros temas del templo incluyen menorá, la era, la semilla, el holocausto, y la Piedra Angular. Descubra las respuestas a algunas de las preguntas más desconcertantes de la Biblia mientras visita el Jardín del Edén en el siguiente volumen emocionante.

SOBRE LA AUTORA

Dr. Dina Dye se crió en Ottawa, Canadá, en un hogar judío conservador. Ella asistió a la escuela hebrea, celebraba las fiestas con su familia, y disfrutó de veranos en un campamento de verano judío ortodoxo. Dina pasó sus años de adolescencia y primeros años veinte profundamente involucrada en el movimiento de la Nueva Era. Durante esos años, llegó a la convicción de que la verdad se basa en tres cosas: que sería fácil de entender, sería para todo el mundo, y estaría basada en el amor. Se encontró esa verdad en el 1979 en *Yeshua (Jesús) el Mesías*.

Dina inmediatamente reconoció la importancia de conectar los Evangelios y las Epístolas a su base adecuada en la Torá (los primeros cinco libros de la Biblia). Ese entendimiento finalmente llevó a la creación de su ministerio Foundations in *Torah*. La Dr. Dina Dye tiene un DMIN en Estudios Hebraicos en el Cristianismo y ha ido descubriendo conexiones hebraicas por más de 35 años. Sus enseñanzas se pueden encontrar en formatos de audio y vídeo, habla regularmente en conferencias y congregaciones locales en todo los Estados Unidos e internacionalmente.

La Verdadera pasión de Dina es ayudar a los estudiantes de la Biblia investigar y entender la naturaleza Hebrea de las Escrituras del Nuevo Testamento. Gran parte de las investigaciones más recientes de la Dr. Dina Dye gira en torno al Templo. Ella sugiere que el Templo es el marco para toda la Biblia y tiene un papel fundamental para traer la unidad a una comunidad fracturada.

Foundations in Torah
www.FoundationsInTorah.com
dyedinah@gmail.com
drdianadye@gmail.com
PO Box 46182
Rio Rancho, NM 87174

Made in the USA
Coppell, TX
03 March 2023

13693065R00128